U0074836

# 小學生高效學習原子習慣

拆解8大策略×23個實作心法，引導孩子學習如何學習

趙胤丞 著

# 目錄

推薦序　試試這本書，教出「會讀書的孩子」！／溫美玉　006
推薦序　根本開始的學霸學習法／林怡辰　009
推薦序　從這本書開始，幫助孩子好好學習／葉士昇　012
推薦序　素養學習，需仰賴有效學習策略／顏安秀　015
作者序　以曼陀羅思考法，拆解出有效學習的原子習慣　018

原子習慣 vs 小學生的學習心態

## 心態對了，是成功的第一步

01 許多關於學習的科學研究都告訴我們：心態致勝　032
02 因為沒補習，所以成績不好？　047
03 建立對成績表現的正確心態　057

04 學習的終極能力——從專注力到恆毅力 067
05 抽象的心態，仍有具體的操作可調整 080

原子習慣vs小學生的學習策略

## 埋頭苦讀前，先設定學習的方向

06 人生是無限的賽局，要建立長期的學習力 096
07 打破迷思，了解學習的遊戲規則 103
08 找到適合的學習法，才能有效學習 117
09 利用系統化操作，改善弱科 123
10 改善學習偏食，不仰賴強項科目 135
11 把同學當成學習夥伴，展開良性的比賽 144

原子習慣vs小學生的學習方法

## 化零為整，建立良好讀書習慣

12 與孩子一起討論目標，讓任務顯而易見 152
13 找出阻礙學習的陋習並著手改善 164
14 利用兩分鐘法則，養成立刻行動的習慣 174
15 用番茄鐘工作法，解決拖延病 184
16 預習是最值得投資時間的學習項目 191
17 建立自主學習的習慣，從培養興趣開始 201
18 彙整有效筆記，從三個訣竅著手 208

## 學習要進階，細節得注意

19 筆記進階班，摘要與彙總問題的方法 218

20 利用檢討，有效檢視學習斷點 229

21 大腦的記憶運作，理解了就能利用 238

22 用語文搭配圖像記憶，記得快又久 249

23 固定學習的頻率、步驟，讓短期記憶變長期 262

附錄 如何與孩子一起設計與執行有效的讀書計畫？ 270

推薦序

# 試試這本書，教出「會讀書的孩子」！

溫老師備課 Party 創辦人 溫美玉

談到親子最容易起衝突的原因，「考試學習」一定榜上有名！拖延了好幾小時還是空白的作業；補了習還是沒有起色的成績；買一堆參考書還是學不會的基本題……，這些狀況，往往讓親子關係劍拔弩張。

《小學生高效學習原子習慣》這本書，很適合長年跟孩子「學習抗戰」的家長們。本書有以下特色：

## 包含孩子學習的所有面向

作者很貼心的用「曼陀羅九宮格思考術」，把所有影響孩子學習考試的因素，針對認知、心理、技巧等層面，有系統的分類、整理，並在書中的各章節來解答。提醒家長們，這本書不是直接讓孩子自己讀、自己做的，當中有許多「考試的正確心態」需要家長先建立；還有學習目標、時間管理等技巧，也需要大人不斷檢視、激勵孩子，甚至以身作則，才有可能成為孩子的習慣！

## 融會中西方的理論技巧

這本書有非常飽滿的「含金量」！作者用簡明清楚的文筆，擷取多種中西方的學習理論與技巧，為孩子們的學習問題對症下藥。讀完一本書，你就等於讀了幾十本經典書的精華，例如先用彼得．杜拉克的SMART原則，練習設定可行性高且合理的讀書目標；再用《原子習慣》中的兩分鐘法則來實踐目標，使目標變成習慣……。將這些原則一步步解構，再加上作者親身的教養經驗，實在太有參考價值啦！

## 師長都受用！用自身教養經驗破解盲點

孩子抱怨作業多？作者拿出自己的待辦清單，與孩子一起討論他的做事方法、如何訂出優先順序等。課本知識不熟悉？作者在生活情境中找機會，讓孩子練習在點餐、找零時也能學算術，讓孩子知道學習不僅是為考一百分。

此外，也針對如何「預習」、「做筆記」的方法，做了詳細的說明。不管是老師在教學設計上，或家長在課業輔導上，都能找到清晰的指引！

閱讀這本書時，建議大家不要操之過急，在閱讀第一、二章時，可以先檢視自己對於考試的心態，三、四章提到較多方法與技巧，讓孩子從其中一章節的小方法開始嘗試，家長要定期與他們討論，給予正面回饋與建議。

短期看到的改變或許微不足道，卻能慢慢累積，成為更強力的「高效學習習慣」，加油呀！

# 根本開始的學霸學習法

原斗國小老師 **林怡辰**

作者趙胤丞老師是一位我非常尊敬的學霸，而真正認識趙胤丞老師是在他所寫的一本本的書籍心得中，在我的經驗裡，能長期閱讀、筆記記錄並融入生活，這樣每年每日踏實行動的人並不多，實在值得追尋。

而胤丞老師《拆解考試的技術》等書籍出版後，我閱讀完，參加了老師的講座，經由實際的體驗，更讓我驚訝發現：學習和考試，都是學問。有許多細節，我之前都未曾注意過，能認識胤丞老師，真是太幸運了！

在過程中，我也發現國內比較少著墨「學習策略」，因此學生學習都是亂槍打鳥，今天成績高，明天好像又沒有辦法達到；尤其長期重視考試，造成學生學習不踏實，只為求高分。但長期學習之路需要正確學習態度、策略、習慣，還好我利用胤丞老師的方法，調整成適合國小孩子的方式，一點一滴帶著孩子面對學習、評量，心裡很是踏實。

喜聞胤丞老師為了小學生，融合了原子習慣，將學習策略更完整地整理成《小學生高效學習原子習慣》，仔細閱讀後，發現這本書先引導讀者擁有從心態開始的成長型思維、建立正確的目標與高效原子習慣；更從筆記開始，摘要匯總問題、有效檢視學習斷點、圖像配合記憶，最後建立好讀書計畫。整本書一氣呵成，從小就可以窺探正確學習心態建立和策略，實在是太令人血脈賁張了！

學貴慎始，在國小任教近二十年的經驗，讓我知道在學習上，心態致勝、良好的學習態度和成長型思維，是漫長學習馬拉松勝出的關鍵。從國小、國中到高中，最後終身學習，從簡單到逐漸深入的知識、抽象的思考，更是需要對學習正確認知、知道為何而學、對成績正確審視、還有精密的計畫……而胤丞老師在企業內訓有豐富的實際經驗，在心智圖、學習策略上也有許多實際指導學生的教學經驗，以這樣豐富的經驗累積而成的一本著作，大量的故事和研究為經、經驗和例子為緯，相信交織出的著作，可以提供家長和小學生參考後實作、實踐，從根本開始，正視心態、調整思考、化為行動、形成習慣，然後這些不間斷的原子習慣，將優化學習路上的能量，用學習改變人生！

推薦您，一起帶著孩子閱讀《小學生高效學習原子習慣》，討論、省思、行動，從根本開始，讓學習的原子習慣飛輪，從小就飛躍起來！

推薦序

# 從這本書開始，幫助孩子好好學習

高雄市民權國小教師
高雄市國教輔導團高中團自主學習專案支援教師
葉士昇

一開始會認識趙胤丞先生的著作主要是來自於他前一本書《拆解考試的技術》，當時便覺得書中的內容十分實用可行，搭配上清楚易懂的架構，作為一本引導學習者的工具書來說，確實是令人讚賞的作品，也因此留下了深刻的印象。

前陣子又因緣際會拿到《小學生高效學習原子習慣》這本書稿，果不其然的依舊延續著簡潔明快的風格與次序井然的架構，教導國小階段的孩子進行高效學習的內容也十分受用，無論我從一個小學生的家長、小學教師還是一個自主學習教學者的角度來看，都有很高的參考價值，也都能從其中擷取到可以立即動手進行的各式方法與步驟。

本書一開始從曼陀羅思考法切入，快速透過圖表的展開，協助閱讀者建立完整的學習、理解架構，搭配循序漸進的章節編排，只要跟著既定的步驟一步一步的實施，就可以依照書中的教學，協助孩子進行有效且高效的學習。而且對於需要多元發展、不適合太早以技術性方法來面對考試的小學生來說，老師和家長們也不用擔心這本書會過於功利取向。因為作者慎重的選擇從心態開始為孩子打好穩固的基礎，協助孩子建立成長思維並且用來看待自己的學習，我也覺得這個起點非常好，唯有心態對了，後面的學習方法才有意義，也唯有持續不斷保持成長思維，才有辦法面對後續更多及更難的種種挑戰。

當然，作為一本工具書，具體且清楚的操作步驟也是必備的。滿佩服作者竟然連抽象的心態都可以提供具體的操作讓孩子學習，而當心態足夠強大後，接下來就是一連串精彩的引導，包括了學習的策略、學習的方法以及進階協助孩子精進學習的做法。我想，不管是身為父母或師長，都可以在作者對議題的詳細說明及具體的操作步驟中，找到適當的引導方式，讓孩子的學習可以更有方向、效率。更由於從心態開始扎根，用心態搭配學習方法的組合，也可以讓孩子建立的學習習慣可以持續得更久。

如果你也正在幫孩子找一本可以協助孩子學習的書籍，這本書絕對是一個好的起點，而且我想不僅是孩子，對於也需要透過終身學習為自己賦能的成人來說，透過這本書籍指導孩子時，應該也可以就書中提到的做法，檢視自己目前的學習方式是不是還有精進的可能，既幫助孩子也幫助自己，真的可以算是一舉兩得的閱讀投資喔！

# 素養學習，需仰賴有效學習策略

作家、家庭素養教育推動者 顏安秀

新課綱上路兩年半，素養導向的教學與評量，在在考驗老師的教學與孩子的吸收。充滿變化與長題幹的考試，既是孩子的挑戰，也成為父母的難題，更常苦於不知道該怎麼提供協助。但其實，不管課程與教學如何變化，爸媽想幫孩子留意的，還是最根本的「如何建立正確學習態度與方法」。每一個父母都想要孩子在學習上具有信心；而每一個孩子，都不希望自己學不會，成為教室的客人。

所以，父母需要一本有效能的書，以系統性的章節、步驟去陪同孩子構思，甚至操作、打磨出屬於自己的學習模式。趙胤丞老師的《小學生高效學習原子習慣》，就因應家長的需要而誕生！

身為超過二十年教學經驗的國小老師，也是兩個學習孩子媽媽的我，深刻認同孩子的學習，需要先奠基在正確的心態上。在過去自己的發表中，也如本書一樣，再三強調「成長性思維」的重要。而父母需要同步修練的是，肯定孩子的努力，而不是誇讚聰明；陪伴孩子理解所有的歷程都有意義，而不需要貼上負面標籤；揚棄完美主義，讓完成主義肯定自我評價與觀感。

更甚者，趙老師透過本書，分別以正確心態、設定方向、建立習慣，到學習進階四大章節，從根本到策略，鉅細靡遺仿若與家長對話，懇切地分享自身經驗和建議的策略，既是務實的指引，更有著溫暖的陪伴。

最特別的部分是，本書結合了全球暢銷書《原子習慣》，每一篇章都有相對應的學習策略，讓家長具體的知道陪伴孩子建立哪些小習慣，讓許多累進的小習慣，慢慢改變、優化、提升孩子的學習，不管是自信、自我滿足、還是更敢於面對挑戰，面對挫敗有再試一次的勇氣。

而每一篇章的「請師長這樣做」或「老師的心內話」，則清晰的再提一次該篇的重點，條列式的給予父母師長可行的建議，真可說是非常好上手的葵花寶典，有了這一本，就不必擔心怎麼跟孩子聊關於學習上的滿足與挫折。

未來ＡＩ世界，所需要的已經不是記憶與背誦的能力，而是具備正向心態、勤於學習、系統性思考，並懂得善用各種工具的特質。透過這本好書讓所有父母能幫助孩子，成為未來世界所需要的人才。也由於有好的學習策略，使孩子在新課綱下的素養學習，更為成功。

作者序

# 以曼陀羅思考法，拆解出有效學習的原子習慣

為什麼想要寫這本書？

因為《拆解考試的技術》賣得很好，到現在一直都還是網路書店考試用書暢銷榜前十名，感謝大家的支持。但，很多身為家長的讀者提到《拆解考試的技術》這本書很好，只是似乎中學以上的孩子比較適用，能不能出小學生的輕量版本，幫助孩子能夠系統化的學習或是準備考試，如果在小學就能夠養成良好的學習習慣，那孩子在未來成長的路徑上將會輕鬆一點，畢竟，臺灣教育體制還是比

較注重考試。

於是，我想著能不能讓《拆解考試的技術》更加系統化地梳理，用更直觀的角度去協助小學生與家長可以一同操作。非常感謝暢銷作家林怡辰老師引薦，讓我有機會跟親子天下編輯們一起構思這樣的可能性，編輯們也非常支持肯定，於是乎這本書的旅程有了開端。

我發現進入學校前的孩子看到新事物眼睛會發光，會用好奇的眼光來探索這個世界。但好像隨著孩子長大、逐步社會化，加上課業壓力愈來愈重的情況下，這樣明亮的眼睛愈來愈少出現，因此，心裡產生是否有可能協助這群孩子的想法。

國小孩子考試成績不好，但師長們也很難系統化帶領他們思考，畢竟很多背景知識都還在建構中，不像已經就讀國高中的孩子般熟悉基礎知識，像是字詞語彙、數學運算等，而且大腦發育也相對成熟，比較能抽象思考。這也難怪家長們會覺得《拆解考試的技術》寫得很好，但內容量對小學生來說過於繁重了。

為此，就思考能不能幫助孩子解構學習時的相關操作與行動，甚至乾脆分門別類說明，讓孩子可以逐步優化各個領域，畢竟孩子在每個環節上都有需要精進的點，那我就把高效能學習拆成比較細緻的結構，讓孩子與家長可以在細節上逐步調整，累積很多個小進步，當某一天回顧的時候會發現：原來自己進步如此巨大！

那要用什麼框架呢？

我想到新聞曾報導旅美日籍棒球選手大谷翔平，他從二〇一八年起至今都是美國大聯盟的當紅炸子雞。為什麼會如此熱門？因為大谷翔平太特別了，是繼百年來美國大聯盟史上最知名的球星——貝比．魯斯（Babe Ruth）後，首見投打俱優的「二刀流」選手，他可以左右開弓應付左投與右投，減少自己的弱點，不僅能投出時速一百六十公里的球，同時打擊能力也很優異，被譽為「完美選手」。

大家都很好奇這位天才棒球手大谷翔平是如何達到這麼高的成就？又如何在美國大聯盟這麼多才華洋溢的選手中脫穎而出？他平常又是如何鍛鍊自己的呢？

當記者採訪時，他的教練透露了其中祕訣：「我本身不是偉大的選手，也不知道把球投出時速一百六十公里的方法。但是，我可以告訴你的是大谷翔平為了實現目標，是如何思考及建立計畫。」於是大家發現大谷翔平做了一件令人驚訝不已的事情，那就是他運用「曼陀羅思考法」來完成他的目標。

同時，我也深受松村寧雄先生的大作《曼陀羅九宮格思考術：達成目標成功圓夢》啟發，松村先生認為人生不是只有功名利祿，他訂出八大領域——健康、工作、財務、家庭、社會、人格、學習、休閒——來平衡人生，若過度聚焦在某個領域，可能之後會在其他領域出現反彈，像是太過熱衷於工作，可能因此忽略和家人相處時間，與家人關係就變得疏遠。所以我覺得曼陀羅思考法中特別強調平衡的設定，如果您曾覺得人生失衡的話，可以嘗試利用曼陀羅思考法來規劃自己的人生。

以下就是媒體傳出的大谷翔平日常訓練計畫表，也就是運用極為縝密的「曼陀羅思考法」做出的訓練計畫表，他透過長時間的鍛鍊，逐漸把目標變為現實。

大谷翔平先在中間九宮格的中心點寫上想要達成的目標，那就是「八球團第一指名」，之後外圍八個空格就是大項目，也就是達成目標的必要項目，分別是「球質」、「球速 160km/h」、「變化球」、「運氣」、「人性」、「心理」、「體格」、「控球」。之後再把這八個大項目填寫到圍繞在外的其他八個九宮格中心，之後再把要達成這八個大項目的具體行動填寫到其外圍的八個空格當中，就出現了這張展開的九宮圖表（表一）。

大谷翔平為達到「八球團第一指名」的目標，就思考達到目標的前提是什麼，因此構思出這八個分類，接下來就根據每個分類去做細部優化，比如說「控球」裡面有改善內踏步、軸心不晃動、消除不安、控制自己的心理、身體不要開掉、強化下盤等，把這些內容寫出來，也就是把一個很大的目標拆解成多項小目標，然後，透過小目標的確認後，就能夠順利地把一項項工作完成，當初我看到這張表時非常讚嘆。原來要能夠成為這麼厲害的人，必須在細節上有非常多的磨練，可見「想在人前顯耀，必在人後受苦」。很多人覺得沒有必要做如此細緻的

| 身體<br>的保養 | 喝營養<br>補充食品 | 頸前深蹲<br>90kg | 改善<br>內踏步 | 核心肌群<br>強化 | 軸心<br>不晃動 | 做出角度 | 從上面<br>把球<br>敲下去 | 加強手腕 |
|---|---|---|---|---|---|---|---|---|
| 柔軟性 | **體格** | 傳統深蹲<br>130kg | 放球點<br>穩定 | **控球** | 消除不安 | 放鬆 | **下半身<br>主導** | 下半身<br>主導 |
| 體力 | 關節<br>活動範圍 | 吃飯<br>早三碗<br>晚七碗 | 強化下盤 | 身體<br>不要開掉 | 控制自己<br>的心理 | 球在前面<br>釋放 | 提升<br>球的轉數 | 關節活動<br>範圍 |
| 清晰<br>不曖昧 | 不<br>一喜一憂 | 冷靜的<br>頭腦<br>熾熱的心 | **體格** | **控球** | **球質** | 以軸心<br>來旋轉 | 強化下盤 | 增重 |
| 危機中<br>堅強 | **心理** | 不破壞<br>氣氛 | **心理** | **八球團<br>第一指名** | **球速<br>160km/h** | 核心肌群<br>強化 | **球速<br>160km/h** | 強化肩膀<br>周圍肌肉 |
| 不造成<br>紛爭 | 對於勝利<br>的執著 | 對同伴的<br>同理心 | **人性** | **運氣** | **變化球** | 關節活動<br>範圍 | 平飛<br>傳接球 | 增加<br>用球數 |
| 感性 | 被愛的人 | 計畫性 | 打招呼 | 撿垃圾 | 打掃房間 | 增加<br>拿好球數<br>的球 | 完成<br>指叉球 | 滑球<br>的品質 |
| 愛心 | **人性** | 感謝 | 珍惜<br>使用球具 | **運氣** | 對主審<br>的態度 | 慢且<br>有落差<br>的曲球 | **變化球** | 對左打者<br>的決勝球 |
| 禮儀 | 值得信賴<br>的人 | 堅持 | 正面思考 | 成為<br>被支持<br>的人 | 讀書 | 跟直球<br>同樣的<br>姿勢去投 | 讓球從好球<br>跑到壞球<br>的控球能力 | 以深度<br>做為想像 |

圖表 1：大谷翔平訓練計畫表。

調整，可是大谷翔平都會把細節確實做好。所以如果可以用方法來達成目標，基本上就是技術，而不是天賦。而技術可以複製傳承，若是別人可以做到，那我們也會期待自己能夠做得到。

大谷翔平透過曼陀羅思考法拆解的訓練計畫，讓我想到一本現象級暢銷著作《原子習慣》，書中提到建立習慣的過程可以被分為四個簡單的步驟：提示、渴望、回應、獎賞，而這四步驟缺一不可。沒有提示，習慣不會啟動；沒有渴望，沒動機行動；沒有回應，習慣難以持續；而沒有獎賞，習慣無法養成。

在我看來，大谷翔平運用曼陀羅思考法將遠大的目標先拆解成八個面向的次要目標；次要目標又分別連動另外八個小項目，每個小項目就是一個小習慣；也就是說，他認為，如果可以把這六十四個小習慣都逐步養成，基本上就可以達成八個次要目標，進而達成最終的大目標。所以透過小習慣的養成與成果累積，可以換取更多大的成果，並透過量變產生質變，我覺得這是大谷翔平用曼陀羅思考法帶給我的啟示。

就像我今年開始運動，給自己設定的目標不大，每天都做十下伏地挺身就好，發現這樣活動筋骨意外舒爽，也毫無負擔，結果就自然持續做了下去。我覺得不貪心，堅持做下去最重要。因此，既然要培養習慣，就應該設計「關鍵行動」。

而當我仔細看大谷翔平設定目標的方法時，就想著能否運用在孩子的學習上呢？並進一步思考在自己過往讀書歷程與教學經驗中，觀察到孩子通常在哪些面向會需要強化才能有效學習？接著，我運用曼陀羅思考法進行大量腦力激盪並收斂整理出八個面向，分別是習慣、學習策略、學習筆記、記憶、運氣、人性、心態、跟考前準備這八大面向，在我的學習與教學經驗中，通常孩子的學習問題都存在於這八個面向中的幾項，若家長、老師能夠協助孩子覺察到這幾個面向，進而逐步意識到需要調整的做法，我覺得都是很棒的覺察與開始。如表二所示。

| | | | | | | | | |
|---|---|---|---|---|---|---|---|---|
| 如實生活 | 睡眠 | 保持穩定 | 改善陋習 | 拒絕拖延 | 兩分鐘<br>法則 | 同學<br>是夥伴 | 跟自己<br>比較 | 抱持<br>長期思維 |
| 考試相關<br>資料文具 | **考前準備** | 維持<br>好心情 | 讀書時間<br>穩定 | **習慣** | 零碎時間<br>利用 | 不會<br>很正常，<br>學就會了 | **學習策略** | 合理的<br>目標設定 |
| 學習<br>克服低潮 | 規律飲食 | 對自己<br>有信心 | 視覺化<br>目標 | 每天讀書 | 小目標<br>開展 | 用自己的話<br>說出來 | 從弱科<br>著手 | 了解<br>遊戲規則 |
| 相信<br>自己的<br>努力 | 不<br>一喜一憂<br>持續進步 | 冷靜頭腦<br>熱忱努力 | **考前準備** | **習慣** | **學習策略** | 電腦<br>打字速度 | 硬筆字美醜<br>+<br>速度 | 學習<br>抓重點<br>訣竅 |
| 恆毅力 | **心態** | 學不好<br>不是<br>沒補習所致 | **心態** | **成為<br>讀書高手** | **學習筆記** | 筆記彙整 | **學習筆記** | 預習的<br>五大步驟 |
| 不造成<br>內心恐慌 | 自主學習 | 對夥伴<br>同理 | **人性** | **運氣** | **記憶** | 提問 | 如何上課<br>專心聽 | 考試後的<br>題目檢討 |
| 低調調適 | 身體保養 | 休息 | 打招呼 | 協助家事 | 主動積極 | 大腦運作 | 記憶的<br>形成<br>與分類 | 學習頻率 |
| 情緒管理 | **人性** | 感謝 | 珍惜使用<br>相關文具 | **運氣** | 對老師的<br>態度良好 | 文字<br>+<br>圖像 | **記憶** | 學習程度<br>與步驟 |
| 助人 | 禮儀 | 堅持 | 正面思考 | 成為<br>被支持<br>的人 | 讀書 | 不同科目<br>不同方式 | 小考 | 練習題 |

圖表 2：以曼陀羅思考法整理出有效學習八大面向，與 64 種原子習慣，這並非是一成不變的內容，師長們也可以利用此方式，推展出最適合自己孩子的 64 種高效學習的原子習慣。

我發現很多人讀書往往有種「豪賭」的感覺，像我就曾看到不少學生考試前閉上眼睛隨機翻開書本，然後靠著「手感」，翻到哪一頁就停在那，就覺得那一頁會考，然後拚命念那頁內容，有時真的運氣好就被矇中了，但有時運氣沒那麼好，猜錯方向跟考題，該次考試就會考得很差。每次看到，我心中都有所疑問：「與其繼續使用這種靠不住的方法來應付考試，那為何不使用正確又有效的方式學習呢？」所以我就用曼陀羅思考法來思考「學習要好，有哪些元素需要留意」，盡量做好完整的規劃，這樣就可以減少失誤，如同孫子兵法所說「多算勝，少算不勝」，因此歸納出上述八個面向。

我自己在撰寫這八個面向的過程中，也會跟學員分享。有學員就覺得這八個面向都要兼顧，要花費好多時間，懷疑這麼複雜的內容真的有辦法達到嗎？我笑笑跟他分享，這八個面向是可以變成系統化操作的方法，這樣才能相對有效鍛鍊、刻意練習。

為什麼呢？以我自己練毛筆字為例，起初都是從最基本的永字八法練起，

「永」字有八筆：點、橫、豎、鉤、挑、彎、撇、捺，按各自的筆勢，以八字概括為側、勒、努、趯、策、掠、啄、磔。這是楷書基本筆畫，也是自古以來書法家練習楷書的技法，每筆各有特色，而又互相呼應，一氣呵成。

剛開始，也是一張九宮格毛邊紙寫滿一個筆畫，像是整張都是寫點，等點寫好之後，開始練橫，之後逐步把永字八法熟悉後，才開始運用這八種筆法來書寫文字，從中體驗不同文字的結構與美感。書寫時，我並不會刻意去想永字八法，而是專注在當下把那個字寫好，並確認整張作品的布局與層次鋪陳。所以要把永字八法的基礎充分熟悉，並運用到跟呼吸一樣自然，這樣才能做出相對有效率的成果。因此，八個面向只是開始，重點是要養成八個面向的原子習慣，將系統化的操作方式串連成一個好的學習習慣。

此外，練習的適度適量與休息也很重要，就像到健身房健身，不會每次持續做同一個部位，也必須休息讓肌肉復原，才能逐步增強肌力。其實，大腦跟肌肉很像，也需要鍛鍊跟休息交錯，若一直鍛鍊操勞，很容易造成疲乏。

書中針對直接影響學習的項目，例如心態、學習策略、學習筆記、記憶等，做了進一步的拆解與說明，而在更細節的生活層面，像是人性、運氣與考前準備等，師長們可根據孩子的狀況做彈性的規劃，盡量去觀照這六十四個原子習慣，就能漸漸成為讀書高手。

我認為，其實每個人的天賦差不多，造成天差地遠的學習表現，關鍵在於方法應用。只要能夠透過流程照表操課，避免過度學習而產生疲憊，然後持之以恆，相信這麼做的孩子，功課都會在一定水準以上，而且會感受到學習的挫折感降低了。希望藉由本書，讓孩子從減少學習挫折開始，接著不討厭學習，才有進入真正學習的可能。

# 心態對了，是成功的第一步

考前準備
習慣
學習策略
心態
成為讀書高手
學習筆記
人性
運氣
記憶

在此章節我們以建立心態為主，師長可依照需求搭配「人性」與「運氣」中的原子習慣，一起來協助孩子達成「心態」這項目標。

正確的心態是成為讀書高手的基礎項目，師長們可以引導孩子扭轉定型心態成為成長心態，讓孩子相信自己的努力，不需要迷信補習，自信而冷靜地找到自己的學習節奏，發揮恆毅力，只要踏出成功的第一步，其他目標的達成就事半功倍。

# 許多關於學習的科學研究都告訴我們：心態致勝

〔原子習慣 VS 心態〕

**我們要相信自己的努力**

每個人都能透過後天學習與努力，都有無限潛力，因此要不畏懼困難，勇於嘗試，擁有成長心態。

就我的觀察，孩子在小時候對事物充滿好奇，有著非常旺盛的學習力，然後不斷詢問為什麼，總是急切了解這個世界，但曾幾何時，這樣充滿好奇的眼神愈來愈少出現，開始社會化，然後隨著孩子逐漸成長、開始接觸考試，到後來好像都是為了考試分數而學習，為了跟上學校進度節奏而努力；眼中的學習熱忱愈來愈少，有時考不好更是心情低落，或是因此不想面對自己的失敗而乾脆提早放棄……每每看到這樣的情況，我都會覺得好可惜。

而看到孩子日復一日想到學習就沮喪的神情，總讓我想到希臘神話的薛西弗斯，被處罰的薛西弗斯必須將一塊大石頭奮力推上山頂，然而每次到達山頂完成目標後，大石頭又會立即滾回山下，然後薛西弗斯又要繼續把大石頭奮力推上山頂，永無止境。西方文化將薛西弗斯的故事隱喻世人可能從事「周而復始而又徒勞無功的任務」。所以，是我們把孩子變成薛西弗斯嗎？如果是的話，這樣真的值得嗎？這問題值得深思！

## 讓孩子擁有想望的目標

我實在好奇到底是什麼限制著孩子原本旺盛的學習好奇心？或者說嚴重一點，到底是什麼摧毀了孩子的學習好奇心？當孩子覺得上學學習是種苦差事，又怎麼會想學習呢？

因此，或許可以先從另外一個角度來看，如何讓孩子覺得學習不是苦差事？答案是從了解學習的意義與自己想要達成的目標開始。但有一個小提醒，我並不是提倡快樂學習就好，如果讓孩子覺得學習都是快樂愉快的，在啟蒙階段可以吸引孩子學習，但無法成為常態。因為當哪一天遇到學習瓶頸時，孩子就會覺得不快樂，覺得違背快樂學習的過往歷程，然後不想學習新的艱澀事物，可能就在過往熟悉的範圍中繼續複習並感覺自己很厲害，這樣偏頗認知的情況，反而容易讓孩子陷入「定型心態」而不自覺。

因此，**讓孩子擁有想要完成的目標、理解目標對自己的非凡意義，至關重要**。因為達標過程一定不容易，但自己依然想要完成，才會有雖千萬人吾往矣的覺悟。孩子如果擁有這樣的認知，對刻意練習的痛苦就會有不同的詮釋，因為頂尖的各行各業專家，沒有一個人不是刻苦練習才有所成就，就像已逝籃球巨星科比．布萊恩（Kobe Bryant）就是每天清晨四點起床準備練球，才能有如此輝煌的成就。

猶記得那支獲得二〇一八年奧斯卡最佳動畫短片獎的「致親愛的籃球」（Dear Basketball），片中講述科比的籃球故事。這部短片是由國際傳奇動畫大師格蘭・基恩（Glen Keane）、電影配樂大師約翰・威廉斯（John Williams）共同打造，科比的退休宣言提到：

從那一刻起，我開始捲起了我父親的高筒襪，然後開始想像在偉大的「論壇體育館」投進致勝球開始，我便明白一件真實的事：我已經徹底地愛上你了！

這份愛如此深刻，讓我願意把我的全部都獻給你，從我的心、我的身體直到我的精神、靈魂。作為一個六歲的小男孩，我已深深愛上你，我從未見過走廊隧道的盡頭，我只看見自己，從另一頭奮力跑出去。

我在每個球場上跑來跑去，每次在場上我總是拚命追逐著那些不在所有人控制下的你。你要求我全力以赴，我也毫無保留給你，包括我的心，因為我對你的愛就是如此豐盛。

我經歷了汗水和傷害，不是因為挑戰呼喚我，而是因為你。我努力為你做的一切，因為這就是為你所做的！而當有人讓我覺得能這樣有意義活著，那個人就是你！

你給了一個六歲男孩屬於他的湖人夢，我會永遠愛你、感念你，但我無法再這樣痴迷地愛你太久了。這個賽季將是我所能給予的最後一個賽季。我的心智仍舊能承受打擊，我的頭腦能應付磨難考驗，但我的身體告訴我是時候說再見了。

沒關係！我已經準備好讓你走了。現在，我想讓你知道，我們彼此可以享受我們在一起的每一刻，在這最後一個賽季。不論好壞，我們已經給了對方我們所擁有的一切。

我們知道，無論我接下來做什麼，我永遠是那個小男孩，用捲起的高筒襪，瞄準角落裡的垃圾桶，時間只剩最後五秒，而持球者是我！5…4…3…2…1

永遠愛你的科比

之前在網路上看到過一段科比的訪談影片——《The Power of Mind》，在影片中記者請教科比如何獲得佳績，他反問記者：「你見過凌晨四點的洛杉磯嗎？」原來科比每天凌晨四點時就已經起床去球館練球，為什麼科比要這麼做？因為他的目標是成為NBA最好的籃球員，所以做了許多令人敬佩的努力。那段內容對我非常激勵，而心嚮往之，並期許自己在工作專業也能如此追求卓越。

因此，本以為孩子只要願意主動積極就好了，後來覺得可能有所不足，因為孩子可能剛開始主動積極，後來遇到學習障礙困難後就停滯不前，甚至自我放棄。此時，孩子還需要擁有「成長心態」，不斷追求卓越，更有助於孩子未來的成長。

## 以成長思維面對學習

到底什麼是成長心態呢？這要從《心態致勝》談起，這本二〇〇六年就出版的書，作者是史丹福大學心理學教授卡蘿．杜維克（Carol Dweck），她在書中提出累積多年的研究論述，向世人介紹「成長心態」與「定型心態」。

**「成長心態」是相信透過後天學習與努力，每個人都能有無限潛力，因此不**

**畏懼困難，勇於嘗試，因為每一次嘗試都是讓自己更加進步的歷程。而「定型心態」則是相信每個人天生擁有固定的智力與才能，避免挑戰與失敗，容易自我設限，告訴自己我沒辦法。**

我發現很多孩子經常會出現定型心態的慣性行為反應，像是當收到考試成績時，若看到國語科目成績不理想，就直覺用分數自我評價，產生「我國語不好」的定型心態。但是若我們把衡量標準微調成「還沒達到」而已，就可能會有不同想法在孩子心裡滋生，例如「我只是還沒學會而已，試後檢討一百分也是很棒，我還是有學會」，這就是成長思維的最佳範例。

其實，成長心態跟定型心態兩者都存在每個人心中，取決於「看待事情的角度」，例如看到半杯水的時候，有人是想著「還有半杯水」，也有人認為「只剩半杯水」。事情發生並沒有好壞之別，端看我們如何看待這事件的思維，就像蘇東坡與佛印禪師的故事一樣。

話說有一天，唐宋古文八大家之一的蘇東坡大學士與佛印禪師相約禪堂打坐。打坐打得有點無聊，突然蘇東坡忽然問禪師說：「禪師！禪師！你覺得我坐在這裡像什麼呢？」

佛印仔細端詳說：「像一尊佛。」蘇東坡顯得非常得意！

不久後，佛印就問蘇東坡說：「大學士！你覺得我坐在這裡像什麼呢？」

蘇東坡就想整整佛印，看他怎麼回答。於是，蘇東坡腦筋一轉就回答：「像一坨糞。」佛印聽完之後只是微笑，簡單說了句：「阿彌陀佛！」。

蘇東坡以為自己的妙語如珠贏了佛印，讓佛印無法回應，這樣的勝利真是太暢快了，於是到處宣傳自己的豐功偉業。而有一智慧的友人聽到，反而覺得是蘇東坡輸了。蘇東坡就疑惑地問：「為何你說我輸了？」

友人說：「因為『相由心生』！禪師心中有佛，他看眾生都是佛，包含你在內。而你的心中有糞，所以你看到禪師就是糞！如果這樣看，誰的境界比較高呢？道理不證自明吧！」

蘇東坡自慚形穢，並不再吹噓此事了。

其實很多時候，孩子是家長、老師的倒影。如果孩子有較多的定型心態與作為，通常家長、老師也可能有類似行為。我想說的是，當身為家長、老師的我們意識到這件事跟自己有所關聯時，就會開始思考如何從自身改變做起。

同樣的，如果孩子可以有健康的學習心態、有相對明確的學習目標，就會開始思考如何規劃與達成，接下來就是學習如何按部就班去完成。讓孩子專注於眼前目標，透過付出自己的努力讓自己的目標逐漸實現，讓孩子每天都很期待學習的時光。

**遇見更好的自己，就是學習的意義！**如同情歌大師李宗盛的那首〈和自己賽跑的人〉的歌詞一樣：「我們都是和自己賽跑的人，為了更好的未來，拚命努力爭取一種意義非凡的勝利。我們都是和自己賽跑的人，為了更好的明天，拚命努力前方沒有終點，奮鬥永不停息。」

請師長這樣做

## 培養孩子成長心態的方法

大家都知道成長心態、積極正向很重要，那該怎麼做比較好呢？以下提供給師長們參考。

**・不要再稱讚孩子聰明了，而是要稱讚孩子努力**

史丹福大學行為心理學教授卡蘿．杜維克建議家長不要再讚美孩子聰明了。因為卡蘿．杜維克曾經做過一個實驗，讓小學生分為兩組，進行同樣的智力測試，做完第一個測試後的讚美方式如下：

天賦組：這個智力測驗你獲得很高分數，你真是好聰明啊！

努力組：這個智力測驗你獲得很高分數，你真是很努力吧！

之後孩子在完成第一個關卡後，則再給學生兩個題目，而學生可以從兩個新題目中選一個來嘗試完成。其中一個是相對困難的任務，而另一個則是相對簡單的任務。

做完試驗後，卡蘿．杜維克驚訝發現：天賦組的孩子較多的比例選擇了相對簡單的任務，因為他們有絕對把握可以做好，只是探究背後選擇的理由則是擔心害怕自己失去了「聰明」這個標籤。而努力組的孩子較多的比例都選擇了相對困難的任務，而背後選擇的理由是，挑戰相對困難的任務可展現自己努力的成果。這是完全不同的思維邏輯。

卡蘿．杜維克發現，不同的讚美方式明顯影響孩子對於學習的心態。所以，不要再稱讚孩子聰明了，而是要稱讚孩子努力。只稱讚孩子的天賦，很容易讓孩子落入定型心態當中。成長心態（Growth Mindset）能使孩子擁抱學習和成長，理解努力對智力成長的作用，擁有面對挫折的良好適應能力，而且這是可以被教育和培養的。

### ．不要給自己貼上負面標籤

心理學上有所謂的「貼標籤效應」，貼標籤效應是當一個人被一個詞語來描述，而且他也認同的時候，就會做出相對應的自我管理，讓自己言行舉止和所貼標籤內容一致。所以當一個人覺得自己很自律，當下雨天無法出門運動時，會覺得「我不能不運動，還是可以在室內伸展拉筋，這樣也是一種運動。」當他這樣想時，就非常符合自律的描述。

同樣的，很多人覺得自己沒天賦，並非是真的沒天賦，而是給自己貼上了沒天賦的標籤，沒天賦的標籤是一種強烈心理暗示，所以一言一行都開始向沒天賦靠攏，漸漸地符合沒天賦的言行深入骨髓，於是就真的成為一個沒天賦的人了。

所以，遇到負面想法的時候，要能夠先覺察正在給自己貼上負面標籤，當下要馬上停住這樣的定型心態，然後意念要轉為「我怎麼做可以更好」的成長心態。日本岐阜縣郡上市願蓮寺布告欄上有個標語：「人生除了死亡，全是擦傷。（生死之外都是小事。）」只要活著，就是一種勝利，不要因為被現實所打擊而感到氣餒；不管情況再糟，請記得我們都有選擇的權利！只要願意面對現實、勇敢行動，黑暗的盡頭還是會出現光明。

- **要有完成主義，而非完美主義：先求有，再求好**

啟動一件事情很重要，但不是最重要。最重要的是「把事情推進」。簡單來說，就是讓事情離目標更近一步。我們一定要先打破完美主義，才會有新的可能性。很多人的完美主義都是小時候讀書養成，「考一百分，就是最高的分數了」，也就是說「考一百分等於完美」這樣的連結不斷在學習環境中上演，而若孩子這次沒有準備好，可能就擔心「沒有考好就是不完美」，於是產生定型心態；又因為害怕盡力之後仍然失敗，所以就開始拖延，以免讓自己的能力「不等於」表現，自我會解釋為「因為沒時間讓我好好展現」，所以沒有做好，純粹是外在因素所造成。但說實在的，沒有完成目標，就像打破對自己的承諾，是會降低自我評價與自我觀感的！

完美主義心態常會不自覺地浮現，一時很難察覺，但如果突然發現，自己怎麼又在鑽牛角尖時，就代表完美主義心態在作祟了。那該怎麼改善根深柢固的完美主義呢？誠摯邀請大家要擁抱完成心態，要能夠允許並接納自己並不完美，才能前進，就算進展不順利，也千萬不要喊停！這次不順利，只要做好檢討，就是下次更好的開始！就像我剛開始無法行雲流水般地講課，也不太會寫書，但透過每次練習都不斷修正改進，這樣就會每次都有新的學習收穫，然後可以逐漸做得更好。這樣慢慢修正，就會發現自己越來越能像高效能人士般地完成工作。

此外，《完成：把不了了之的待辦目標變成已實現的有效練習》此書提了八個刻意改變心態的練習，讓我們能更克服不了了之的症頭，也提供給各位參考。

一、欣然接受不完美

二、識破讓你分心且遠離目標的陷阱

三、把目標砍半

四、甩掉絆住行動的潛規則

五、設定優先順序，有捨才有得

六、善用數據，看到進步

七、把目標變得有趣

八、克服畏懼接近終點線的心魔

最後，切記我們不要花太多時間去擔心自己無法改變的人事物，因為擔心這些事也無濟於事，只是讓自己徒增無力感跟焦慮感，反而容易陷入低潮當中。比較積極的做法是：花更多時間去規劃並著重在那些我們有能力改變的人事物，這樣更積極主動也會讓我們重新感覺到事情在掌握當中，更符合成長心態的期待。就讓自己的言行都帶著成長心態，擁有更快樂的人生。

在此以約翰・藍儂（John Lennon）講過的一段話作為結語：「有人曾問我長大想做什麼，我寫下『快樂』，他們說我沒聽懂問題，我說他們不懂人生。」（They asked me what I wanted to be when I grew up. I wrote down 'happy'. They told me I didn't understand the assignment, and I told them they didn't understand life.）

**老師的心內話**

那如果還是有孩子會擔心「這樣想就真的足夠嗎？」不妨跟孩子一起看看神學家尼布爾的無名祈禱文，後來被稱為寧靜禱文：

親愛的上帝
請賜給我雅量，從容地接受不可改變的事；
賜給我勇氣，去改變應該改變的事；
並賜給我智慧，去分辨
什麼是可以改變的、什麼是不可以改變的。

# 因為沒補習，所以成績不好？

〔原子習慣VS心態〕

**學不好不是因為沒補習**

以加法思維帶動孩子學習，理解競爭應該是跟自己比，要建立良好的讀書方法並養成習慣。

去接小孩放學時，常發現不少補習班的車子停在路口，準備接孩子去補習，甚至還有工作人員穿著背心指揮交通……可見補教產業商機蓬勃。

而有時候遇到孩子與同學聚餐，家長們總會彼此交流，交談的話語常是「不補習的話，開學怎麼跟得上？」、「都已經考不好了，還不趕緊補習嗎？」、「在家也在看電視打電動，去補習班上課比較不會浪費時間。」竟也是三句話離不開補習。

身為家長都希望自己的小孩「贏在起跑點」，但到底有多少人「贏在中繼點」或是「贏在終點」呢？有些家長會認為既然無法看到後面的狀況，起碼要把握住現在，所以超前學習這件事就開啟濫觴。

## 成績不好的關鍵不在補習與否

當看見這麼多孩子利用補習超前學習，「難道沒有補習就學不好嗎？」這個問題一直存在我心中。經過多年研究後，我發現答案與讀書習慣有關。仔細想想，其實我們極少教孩子「如何學習」，總是說「要聽老師的話」、「要跟上學校進度」，主要學習到的是各科目的知識，但還是無法領會「如何學習」的技術，於是成績仍然不理想。

通常孩子功課不好，而又想要進步時，會發現大家多從兩個面向去著手：

一是對內自己處理：花更多時間念書、寫更多本參考書等。

二是對外尋求方法：去補習班、請家教、請教他人讀書方法等。

花很多時間讀書、寫很多本參考書都需要更多時間，但如果沒有調整更有效的讀書習慣，沒有把品質提升，只是延長讀書時間，可能對於成果沒有太大幫助，如果因為這樣還是沒有考好，就會覺得自己已經盡力了，自己一定是沒有讀書的天賦，如此形成無助感，更嚴重的是對學習呈現放棄狀態，實在可惜！

對外尋求幫助，補習班是最常見的選項，因為補習班老師講課很有趣、有大量練習題幫助作題熟練，很容易產生立即效果。家長看到孩子功課有進步，就覺得錢花得「值得」，然後就持續補習，但這也可能演變成太依賴補習班的後遺症。

記得我學生時代也有補習的經驗，然後因為補習班經常超前進度，導致我在學校上課時就會因為「這個我已經會了」，開始非常不耐煩與無聊，然後做自己的事、轉筆、塗鴉、動來動去、找他人說話、玩手機等，養成這些上課不專心的壞習慣，還攪亂了課堂上的秩序。

## 補習要補強還是補弱

很多時候讓孩子去補習是因為家長擔心孩子如果功課不好，出社會將缺乏競爭力，因此希望孩子藉由補習提升考試成績。但這裡有一個問題：那就是競爭力到底要跟誰比，是跟周遭同學比呢？還是跟全世界七十多億人口比？比較的基準不同，做法也完全不同。

我認識的很多家長讓孩子補習都還是為了升學，孩子課業中哪一科比較弱，那就去補那一科，也就是國語不好補國語，數學不好補數學；甚至有些家長為了多元入學需要，連孩子的興趣也作規劃，去補些才藝做出差異化，希望爭取到進入重點學校的機會。簡而言之，每一項補習都是為了提高錄取好學校的機會。

可是我在美國念MBA時，看到外國同學教養小孩的方式卻完全不同。外國人認為每個人天賦本來就不一樣，用成績去衡量一個人，不是很奇怪嗎？我的外國同學認為，若要補習，應該反過來補孩子的強項，因為**應該讓孩子擅長的變得更好，因為這場競爭是與自己較量，而且無止境**，要看自己今天有沒有比昨天更進步，有沒有發展出自己的獨有能力。所以他們讓孩子去補擅長的科目，透過補習更加有效地打穩基礎框架。

我曾經在美國遇到一位華裔前輩，生意做得非常成功，小孩都是長春藤盟校畢業，有人問他是「怎麼教導小孩，讓孩子都有這麼高的成就？」前輩只說：「我做對了一個決定，那就是搬到好的社區。」大家都很納悶為何這樣回答時，前輩淡淡地說：「當發現孩子有畫畫天賦時，就請曾在迪士尼擔任動畫師的老師來教。當發現孩子有籃球天賦時，就請曾任職於NCAA的教練來教。就是用最有效的方式讓孩子做對，並持續精進。」這「補習要補強」的案例讓我印象深刻。

西方人對於考試跟學習的思維方式與華人完全不同，華人很常見的是「減法思維」，而西方國家往往是「加法思維」。怎麼說呢？「減法思維」是從滿分開始扣分，我們總認為「滿分等於完美」，所以當孩子考九十九分時，華人家長不是稱讚孩子考九十九分真厲害，而是問孩子為什麼差一分沒有一百分。如果你是孩子，努力很久終於考到九十九分，原本期待父母稱讚自己很棒、進步很多，但是結果卻事與願違，並被質問為什麼沒有考滿分，你覺得當下的心情感受如何呢？想必是不好受吧！而且很容易因為過多壓力而養成定型心態。

所以，**建議各位家長跟老師換一個角度思考，也就是「加法思維」**。先從孩子有的地方開始看起，請記得「先求有，再求好」，之後再來討論如何改善，肯定孩子中間歷程的努力，讓孩子跟自己比較，逐步精進，就可以有更好的開展。

請師長這樣做

## 幫助孩子不補習也能有效學習

### 一、陪伴孩子，協助檢視讀書方法是否正確

很多孩子的讀書方法都是自己摸索，只要孩子有跟上學校進度，功課有做完，考試成績還不錯，基本上大部分的家長、老師並不會去關心孩子如何讀書。通常都是孩

子成績退步時，才意識到孩子的讀書方法有問題。這時可以先問問孩子都怎麼學習，待我們有所了解後，再運用本書所教的方法，帶領孩子討論哪些地方可以調整，引導孩子了解相對正確的讀書方法，然後逐步修正。

有個重要觀念要提醒各位老師與家長，那就是「帶領孩子調整時，不要一次調整太多環節」。我之前參加登山活動時，登山教練特別交代了一個口訣，那就是「三點不動，一點動」。因為當攀爬比較陡峭的岩壁時，往往需要運用四肢的平衡協調，若躁進反而很難攀登成功，因此為了讓登山者穩健向上挺進，每次只能移動左手、右手、左腳、右腳中的一個部位，也就是一個點，其餘三個點要固定不動，才能夠穩住身體，避免造成墜落意外。所以我們在與孩子討論讀書方法如何改進時，可以利用這個登山口訣。

所以，即使發現孩子有五個地方要改，但還是請各位師長要有耐心，一次只跟孩子講一個要調整的地方，否則孩子可能會下意識覺得「原來我有這麼多不好的地方」，而降低自我評價，而且孩子還沒發育成熟，若一次過多的調整難免會有所遺漏，不如化整為零，一次只調整改進一個地方。當一個地方調整之後，再帶著孩子重新檢視當下的讀書方式，再做第二個改進的環節，直到第二個改進地方也能逐步熟悉並養成習慣。因為我們要的是長期學習力養成，而非短期見效，所以請勿心急，多給孩子一些耐心與同理心。

## 二、針對弱科科目討論解決方案

怎樣算是弱科呢？每個人定義都不同，但可以從分數跟排名來做一些相對客觀的看待。我想起過往統計學所學的「四分位數」，即把所有數值由小到大排列並分成四等份，處於三個分割點位置的數值就是四分位數，因此會區分出三個四分位數：

第一四分位數（Q1），又稱較小四分位數，等於該樣本中所有數值由小到大排列後第二五％的數字。

第二四分位數（Q2），又稱中位數，等於該樣本中所有數值由小到大排列後第五〇％的數字。

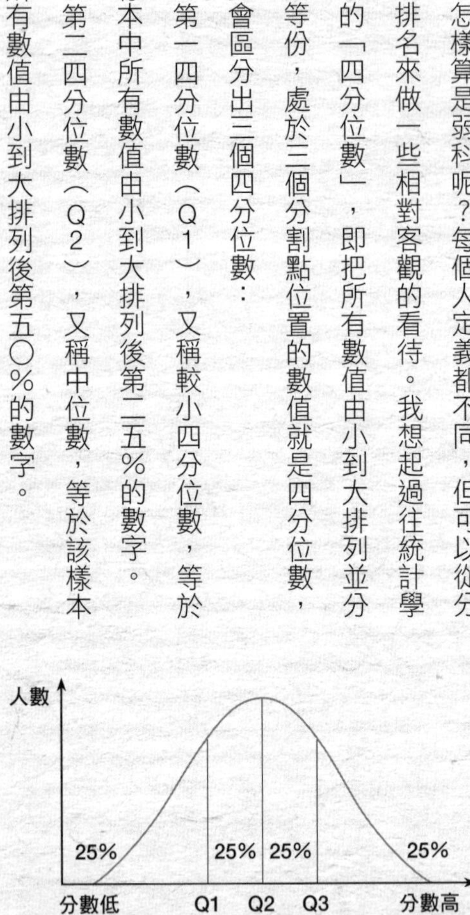


圖表 2-1：四分位數示意圖

第三四分位數（Q3），又稱較大四分位數，等於該樣本中所有數值由小到大排列後第七五％的數字。

我們先從第二四分位數開始看，也就是中位數。中位數的分數就是全班第五〇％同學的分數，如果孩子的分數比中位數低，代表孩子在該科目是落在全班後五〇％，那基本上就是弱科。

或者可以看看孩子目前的PR值，來確認孩子該科目在四分位數的哪一個區間，然後先跟孩子討論遇到什麼樣的問題，並引導孩子一起想想是什麼原因造成的，以及該如何解決的方法。

但有一點要特別留意，那就是我們檢視成績不是為了要挫敗孩子的信心，千萬不要在孩子成績的傷口上撒鹽，覺得這都是孩子的錯，所以「才要」協助孩子修正，因此，師長們千萬不要流露出任何類似的情緒跟想法，以免孩子出現防衛心態，就會不想跟師長交流了。要讓孩子知道，我們的協助並不會讓他貼上不好的標籤，而是能夠「修正改善，逐步精進」，再次提醒孩子「成長心態」的重要性。而且趁此機會帶著孩子勇敢面對問題，學習如何解決問題。

## 三、確保孩子順利完成作業、跟上進度並理解內容

在追求更好的成績前，應該先聚焦在練好基本功上。我還是認為，如果有良好學習習慣，功課基本不會太差。因此，要請各位師長不要將重點擺在考試考幾分而已，而是要確認孩子對於學習內容徹底理解，而不只是似懂非懂。這些似懂非懂的環節，就是最容易失分的破口。如果能夠把似懂非懂的內容都搞懂，考試失分比例自然就會降低，也就相對可以獲得比較高的分數了。

**老師的心內話**

很多人在讀書上也短視近利，才改變了讀書方法，就希望「立刻有效」，如果沒有馬上產生效果，就會覺得這個方法無效。其實，多給自己一些耐心，因為讀書方法在短期內呈現的效果沒那麼顯著，要持續至少三個月到半年才會看出成果。

# 建立對成績表現的正確心態

〔原子習慣VS心態〕

**不因名次而喜憂**

引導孩子關注如何加強才會使下次更好，而不是追究是否滿分或第一名。

有些孩子非常在意自己的成績，甚至已經達到偏執的地步，沒有考一百分就哭成淚人兒，進而對周遭朋友有戒心，甚至十分有心機地跟同學說自己「今天都沒有念書」，但考試都考一百分。每次看到類似的孩子，都覺得他們很辛苦，很想跟他們說「真的可以不必如此」。

此外，也不需要讓孩子追求第一名，因為第一名只有一個，如果沒有考到第一名，世界會塌了嗎？其實並不會呀。我身邊有很多從小都拿第一名的人，但他們遇到自己不是第一名時，反而都說那個時刻對他們來說是非常寶貴的經驗。我也當過學生，長大後就發現除了功課之外，還有很多其他的問題要面對。所以家長、老師要讓孩子知道，功課並非人生的全部，只是生活中的片段。

## 第一名又怎樣，基本功才重要

近年來看到不少孩子壓力很大，好像非得拿到第一名不可，搞得自己壓力大之外，也讓周遭家人變得緊繃，「明明就已經不斷勸說沒有得到第一名也沒關係，但孩子卻依然想得到第一」，不知道為什麼這些孩子要把第一名看得這麼重要，甚至連家人也都搞不懂孩子的執著。

我自己也跟幾個孩子對話過，發現原因或許是來自一種迷思，那就是把「考第一名的自己才是好」跟「沒有考第一名的自己就是爛」直接做了二分法，做不到就認為自己很差勁。所以當孩子陷入這種狀態時，就會變得很緊繃，也造成非常大的精神壓力，反而更容易失常；而當失常發生的時候，就更加認定「沒有考第一名的自己就是爛」，有可能會為了避免自己產生輸的感受，鋌而走險產生偏差或違規的行為，若要導正這樣的想法，必須從基礎觀念開始。

我自己小時候也很好強，甚至有過度的好勝心，我記得小學一、二年級時幾乎都是各科目滿分，都是第一名，班上近五十位同學，競爭激烈，只要稍有誤差錯一題，就會退到班上十幾名，有一次月考我不小心一題計算錯誤，就從第一名變成第十五名（因為前面有十四個同學滿分），拿到考卷當下非常沮喪，還因此哭出來。後來才明白沮喪可以、哭可以，更重要的是**哭完後要努力調整自己、檢討不懂的內容，把知識內容徹底搞懂，扎實自己的基礎，這樣才能有效進步！**

## 誇獎鼓勵都要避免與周邊熟人作比較

其實在意功課成績不是件壞事，但是「如何保持有健康心態」很重要。不過爸媽一句不經意的話語，卻可能會讓孩子誤解，影響孩子的心態。像是「你爸爸小時候都是第一名畢業的」、「你圖畫得很棒，一定可以跟你媽媽小時候一樣拿全國特優」。

對於這些話語你有種熟悉感嗎？是否很常聽到呢？是的，我們經常會不經意講出來這樣的話，我們以為在鼓勵孩子，但在孩子聽起來，我們的鼓勵話語卻是一種比較，說者無心，聽者有意。

在求學期間我也曾經因為長輩無心講的話難過很久，那是在高中二年級的時候，當時花了非常多時間準備考試，該次成績是高中最佳，考到全校第九名，我非常開心把成績單帶回家，迫不及待想跟爸媽分享，一回家就馬上報告這個好消息。長輩也很開心，可是或許是怕我自滿，就說：「不錯！繼續加油！看你哪一天可以跟你表哥一樣一直保持在全校前五名，那樣成績就很穩定了。」我聽到當下愣住，內心因考得很好帶來的喜悅消失了，爸媽正提醒我，表哥成績一直在我之上（表哥一家真的非常會念書，大表姐曾考過中區榜首、表哥也是醫學系高材生），我已經拚盡全力了，但就是無法跟表哥表姐一樣好，那是不是代表：我不夠好呢？那時內心非常挫折。

現在我身為父親，稱讚我們家大女兒做得好的時候，就會說「姊姊好棒」，然後小兒子聽到了之後，有時候就會講出「你都沒有稱讚我好棒」的話，此時我就會告訴小兒子，「你也很棒，你要多展現好的行為，爸爸一定會稱讚你的喔！」小兒子才比較寬心。

請師長這樣做

## 以正確方式引導孩子表現更好

一、引導孩子思考內容，而不是比較高下

鼓勵孩子表現更好時，盡量不要用孩子熟悉的對象，以免讓孩子會認為自己早已落後，建議可以引導孩子做不同的嘗試，像是鼓勵孩子「你覺得如果這樣做會不會更好呢？」、「除了這樣之外，你覺得還有什麼樣的方式呢？」重點是在於讓孩子思考，並且觀照自己的狀態，然後思考哪一個環節可以做得更好。請記得，爸媽的角色是鼓勵孩子一步一步往前進，而不是比較，學習的過程重於結果。

## 二、引導孩子重視過程與基礎

請務必跟孩子傳達一個重要觀念：考試是一時的，學習是一世的。鼓勵孩子要享受學習過程，盡力學習、努力做好；告訴孩子現在的奮鬥，是在為將來的成功做鋪墊。不要以為努力沒有用就放棄，因為不努力一定沒有成功的資本。學習的過程比結果還重要。

最近幾年有許多心態思維調整的重磅好書出版，其中《長勝心態》中有個重點令我感受深刻：**以長勝心態存出成功，長勝思維幫助心態與心智模式持續成長**

**進步，讓自己不斷優化迭代並改變調整行為，進而建立更有意義的關係，創造更多的合作機會，與他人一起合力實現自己無法獨力達成的目標。**

在意功課是不錯，但仍不夠，之前我有幸跟隨人僕學苑陳怡安博士學習時，老師總是會說「成長必然在團體之中」，我們終究無法獨立於他人之外生活。所以讓孩子不要那麼在意成績還有另一個原因，是希望孩子接受全人健全的教育，這是更令人期待的目標，也是更需要傳達給孩子的觀念。

## 以運動選手為楷模，讓孩子願意效法

運動選手是很適合用來與孩子們展開對話的題材，像我的小兒子在幼兒園體育課中打棒球跟籃球時，老師也會跟他們介紹大谷翔平跟史蒂芬．柯瑞（Stephen Curry），如大谷翔平今年投、打兩端的表現獲得美聯全票通過MVP；柯瑞在NBA頻獲殊榮或打破紀錄登基「歷史三分王」都可以成為討論話題。孩子們聽完後，都很羨慕他們有這麼好的球技，紛紛開始運動。這也是一個跟孩子分享的好機會，讓孩子知道這些他們所羨慕的選手，也是經過非常努力的鍛鍊，才能擁有現在的成就。

之前看過一本側寫史蒂芬．柯瑞的書《史蒂芬．柯瑞：無所不能的ＮＢＡ神射手》，作者是勇士隊的隨隊記者 Marcus Thompson II，他在書中提到柯瑞和ＮＢＡ長人相比，身材偏矮小，但是柯瑞有著超強神準的三分線球技，這是堅實訓練的成果，書中描寫了柯瑞的訓練重點，以及每天都認真確實完成基本功訓練的過程。

在某運動品牌廣告中也可以看見拍攝柯瑞不斷運球練習的影片，就是強調把基本功鍛鍊好的重要性。此外，柯瑞還在書中現身說法，提出一個重要的觀念——如果你覺得做起來游刃有餘，下次挑選難一點的挑戰。逐步精進，讓自己逐漸擴大舒適圈，套用到學習上，就是讓孩子先熟悉目前的內容，而有些內容不在考試範圍當中，但還是需要去熟悉，並為了下次測驗做好準備，這樣才能夠讓自己的身心一直保持在最佳狀態，不因高低潮影響表現。

我還直接把柯瑞這十三年的比賽數據展開給孩子看，讓孩子了解他如何能夠成為NBA歷史上的三分球得分王。接著有孩子發現柯瑞的數據表現都非常穩定，每一年的數據都在可以預測的範圍當中，而且是驚人的成績。

「沒錯！」我正等著孩子自己發現「只有持續穩定的產出，才能登峰造極」這件事。所以，學習也是一樣，不要去追求短期見效的快速方案，而是追求持續且穩定的進步，專注在基本功的鍛鍊。**當把基本功鍛鍊到跟呼吸一樣自然的直覺反應時，很多內容自然也滾瓜爛熟了**。當我們對於內容滾瓜爛熟時，某個程度也是代表有相對高的機會可以考試拿高分。

所以各位家長們，不要再讓孩子追求短期功課狀態，回歸基本功，讓孩子願意開始學習，因為只要願意開始，目的地就不遠！共勉之！

**老師的心內話**

跟大家分享我的成長經驗，我小學成績很好，每次考試都是前幾名，書法比賽也拿超過上百張獎狀、近二十座獎盃，田徑隊、躲避球隊每役必與，小學畢業還獲得縣長獎，當時認為自己也算人中龍鳳吧！這種莫名的驕傲感，現在回想起來真是不懂事。而到國中後，第一次段考就發現一山還有一山高，自己還有很多需要努力的地方，也第一次了解自己的不足，並開始希望自己能往前邁進，開始鑽研讀書方法與技巧，並且逐步精進，我覺得我的心態還算健康，就是遇到事情沒做好，就勇敢去面對就好。

# 學習的終極能力——從專注力到恆毅力

〔原子習慣VS心態〕

**鍛鍊恆毅力**

要保護孩子的專注力，培養恆毅力，有了目標就不易半途而廢，而能夠活出熱情。

與許多家長交流後，大家普遍認為，現在的孩子很容易分心，因此要好好把功課做完，其實不太容易；若忍不住對孩子大小聲，又會造成孩子情緒不舒服且氣氛緊繃，但是家長通常只看到孩子的功課沒做完，而忘了去找出原因，更何況對症下藥去改善。

事實上，當注意力分散後，大人往往需要二十至二十五分鐘才能返回原本專注在做的事，更何況小孩？或許大人應該給予孩子更多體諒，並且想辦法協助他們找回專注力。注意力已經成為現在各產業亟欲獲得的寶貴資源，因此如何維持專注，也是家長目前最需要重視的事情之一。

## 與孩子分享自己的工作清單

由於家中也有小學生，我漸漸摸索出讓孩子比較專注完成功課的方法。因為孩子覺得自己每天的作業太多，我就分享自己的待辦清單來引導孩子，讓她知道爸爸的工作量更驚人。

我跟孩子說：「你看，我也覺得工作量很多，有時也會覺得壓力大，但我還是要打起精神來完成，你知道為什麼嗎？」

孩子就會開始思考並回答我說：「因為要照顧好我們呀！」

我說：「對呀！我要照顧好你們！認真工作才能讓你們過得比較舒服。你們是我努力工作很大的動力，也是爸爸努力工作的最大意義！」

接下來我就會問孩子：「那你覺得我這麼多工作可以同時做好嗎？」

孩子搖搖頭。

我接著問：「那怎麼做比較好呢？」

孩子說：「一次只做一件事！」

我說：「哇！你好厲害！那我跟你說，我今天從哪一件事情開始做、之後又做哪件事……」

等到我說完了之後，就問孩子：「你很棒喔！知道怎麼跟爸爸討論工作要如何一件件完成！那現在換爸爸問你，你的作業有好幾項，你打算怎麼做呢？」

孩子就說：「我總共有四項作業，分別是 OOO、XXX、QQQ、AAA。我打算從 OOO 開始做起，之後做 XXX，然後做 QQQ，最後做 AAA。」

「哇！很棒！你已經排出寫作業的優先次序來了！那我們現在就一起來做吧！做完我們再一起來檢討。」經過這些分享交流後，孩子就比較願意開始寫作業了。

## 訓練孩子專心的方法

・**讓孩子的學習桌面環境單純化**

我發現容易分心的孩子通常學習環境都充滿誘惑，像是旁邊堆有故事書、彩色筆等，孩子容易分心去做其他的事。所以為了減少讓孩子分心的情況，請把書桌周圍環境整理清空，這樣比較容易專心寫作業。

・**指令要拆解變成視覺步驟化，讓孩子更容易吸收**

我把在職場上的經驗帶回來跟孩子分享，也有很好的使用經驗。在職場中，我發現也有很多人常未聽完或誤解交辦事項，其實會影響到很多工作的推進，所以從小培養孩子確認資訊的動作非常必要，如果感覺孩子只是敷衍回覆時，例如不講話或回覆「喔」、「知道了」等，這時孩子往往都沒有聽進去，也達不到效果。

要幫助孩子條列步驟化，這樣可以讓孩子在接收資訊時更清楚。曾有一篇報導指出韓國出現TMI（Too Much Information）的情況，表示資訊過量，所以在資訊氾濫的時代，我們更要維持注意力，起碼先從條列步驟化的重點開始跟孩子溝通。請記得，重點真的不是我們說了多少，而是孩子理解多少，這才是關鍵！

## ・用計時器帶領孩子在有限時間內提高效率

孩子之所以會分心，部分是因為沒有時間概念，有時寫作業寫到很晚，家長擔心這麼晚睡覺，隔天會爬不起來，所以「督促」孩子趕緊完成；也有家長可能會強迫孩子完成作業才能休息，但通常孩子都呈現抗拒狀態，這時有些家長可能會講出類似要脅的話語，像是沒有睡前故事、沒有睡前牛奶、明天開始沒有娛樂時間等，結果孩子並沒有如我們預期地繼續寫作業，而是開始爆哭崩潰，家長要花更多時間處理孩子情緒，還要協助孩子完成作業，久而久之就會變成惡性循環，讓家長跟孩子都身心俱疲。

因此，我會嘗試用計時器來引導孩子，計算花多少時間完成，如提前完成，休息時間就多一點，讓孩子能進行期待的娛樂項目，這樣也會增進孩子完成的動力，幫助孩子聚焦在目前的學習上。（計時器使用詳見〈15.用番茄鐘工作法，解決拖延病〉）

### ‧把複習當作競賽遊戲

學校規定每天都請家長協助測試孩子在加法卡、減法卡上計算所花的時間，並記錄在聯絡簿中。剛開始孩子挺抗拒這件事，測驗時間都在一分半左右，還經常被老師在聯絡簿上寫著加油。此時，孩子情緒難免低落。我就跟孩子說：「那我們一起來練習看看可以如何做才會進步好嗎？」

我們拿出空白紙，上面出20道加法題目以及20道減法題目，之後我跟孩子一起寫這張考卷，題目是孩子出的，孩子對於考題會比較有把握，然後書寫速度也會變得比較快，之後我們就用一分鐘的時間來寫加法的題目，看哪一個人完成的題目比較多，而且正確率最高，如果做錯一道題，就加五秒鐘。

過程中，家長的拿捏很關鍵，不要盡全力，但也不能放太多水，不能全部是家長獲勝，這樣孩子會失去信心，請記得，重點是鍛鍊孩子能在一分鐘內正確完成所有題目，所以勝負要有來有往，孩子會更樂在其中，同時也做好加減法的練習，最後真的有進步。接下來就變成孩子一直主動想要跟我比賽，這是很好的遊戲示範。

## 恆毅力推動學習目標的達成

當會分心的孩子開始專注之後，接下來家長需要思考的是如何讓孩子能夠持續，這時候就要談到一個重要能力，那就是恆毅力（Grit）。恆毅力這個字是由美國心理學家安琪拉．達克沃斯（Angela Duckworth）所提出，她研究三百位奧運獎牌得主、大企業家等頂尖成功者，發現成功關鍵就在於此。

恆毅力是心理學中一種正向特質，是追求長期目標的熱情與毅力，是為了達成特定目標的強大動機。不僅是恆心加上毅力的綜合體，背後更隱含著一層面對困難卻不屈不撓的精神。

我記得小時候，家中長輩似乎就開始鍛鍊我的恆毅力。記得小學一年級拿到心算珠算初段之後，二年級時就上不去了，父母對我栽培期待甚殷，因此想說要不要去改學書法，因為我幾個舅舅都擅長書法，我母親覺得會寫書法很重要，所以就送我去知名書法家蔡炳坤校長與林葉蘭老師的書法研習班。我記得每週六下午或週日上午都要到清水火車站附近的二樓教室報到，到現在都還記得大量宣紙跟吳竹墨汁的味道。教室牆上掛著歷屆得到全國書法比賽冠軍的作品，還記得有位學姊囊括中部五縣市獎牌、甚至在全國書法比賽名列前茅，心裡想著如果有一天可以跟學姊一樣厲害，那就真的很不得了。

於是，我就開始鍛鍊書法的基礎，學習從如何保養毛筆、開筆、順筆、握筆姿勢、沾墨刮墨、筆尖中鋒側鋒一一練習，我記得每天要練習兩三百字才完成當天任務，如果沒有完成就無法就寢。練習過程真的很辛苦，被選為選手後，除了要做好功課之外，還有更多的書法作業要完成。老師很嚴謹，只要沒做好都要重寫，當時聽到要重寫時，內心真的很不甘願，但還是要努力完成，畢竟這是自己的承諾，就算寫到手痛，也要擦乾眼淚繼續完成。

小學二年級第一次參加書法比賽，是中華電信主辦的中部五縣市電信杯，與很多優秀的書法選手齊聚清水會場同臺競技。那時我報名國小低年級組，同一個書法班的劉同學非常優秀，他從小練字，字體娟秀，就算把作品拿去跟高年級比賽，也一定是榜上有名。所以我們都想說劉同學應該會穩拿第一名。結果他的作品在繳交時不小心點到了一點墨，作品產生汙濁，多點了一點，當時第一名得獎作品必須維持整潔、沒有汙損，所以就與第一名擦身而過，變成第二名，結果讓本來是第二名的我遞補成第一名，這對我來說是非常重要的肯定，也讓我「天真相信」自己是有寫毛筆字的天賦。當我體驗過勝利的滋味後，發現原來辛苦的練習都是值得的，也會讓我更加願意持續這樣的練習，因此開始了往後上百場書法比賽的征途。

後來離開企業組織，創業當講師，長輩其實並不諒解，覺得做年薪百萬的工作不好嗎？為什麼要去投入一個未來不知道收入有多少的工作呢？但當實際努力一段時間之後，有一天長輩突然跟我說一句話：「我發現你這段時間不太一樣。工作時間這麼長、收入也不高，但你並沒有抱怨，還非常有衝勁，繼續往前完成很多事情。反而過去在企業組織中，雖然年薪百萬，工作時間不長，你卻哀哀叫，覺得自己好像關在監牢一樣痛苦。既然選擇了這項工作，那就好好往前進吧！」當下聽到這番話時，內心覺得十分溫暖，因為代表自己的作為被看見、也被支持肯定，這都要感謝從小就鍛鍊出的恆毅力。

同樣的，現在我身為父母，也希望孩子可以培養恆毅力，不要半途而廢，而能夠活得很有熱情。就像這幾年紅遍全球的日本漫畫「鬼滅之刃」，作者吾峠呼世晴（Koyoharu Gotouge）很早就開始畫漫畫，過程中也畫了很多不紅的漫畫，但堅持不放棄，因此才有後來風靡全球的「鬼滅之刃」，並創造動畫史上最高票房的紀錄，這也是恆毅力的展現。

## 從課外活動中探索習得恆毅力

而學習恆毅力，不能只靠寫作業，而是可以用課外活動探索孩子的興趣來習得。心理學家安琪拉．達克沃斯在描述恆毅力的文章中提到「困難任務」這個概念，就是讓孩子從課外活動學習，因為課外活動有兩個重要特質，是其他情境難以複製的。

### 一、有教練協助，而且不是家長本人

我發現孩子比較聽從所崇拜和信任的人所給的建議，這也是古人易子而教的原因。記得我暑假開小學生心智圖法的線上夏令營時，我的孩子也一起在線上學習，他雖有在聽課，但課後作業卻不想寫。此時，我就沒有辦法跟他說「你不寫作業老師會知道喔」！因為他知道我就是那個老師，所以很難要求他；不然就是要求過緊，讓孩子反感，使親子關係緊繃，真的很難拿捏。

所以我會建議最好的方式是讓孩子給其他老師、教練教導，家長從旁擔任輔

助者的角色即可，讓別人來教育自己的孩子進步，既能從嚴要求，也能保持親子之間的關係，不會傷害到感情。

## 二、可以讓孩子看到成果

就像我之前寫毛筆字是覺得有趣，練習也會得到成果，得到好成績後才產生更濃厚的興趣，或者是看到典範出現，像是看到學長姐非常厲害的作品，因此心生嚮往，於是就會更加努力鍛鍊，即使知道練習很辛苦，也會努力堅持。

生命是一條長河，我們可以在現在獲得成功，但獲得成功之後，還是要繼續下一階段的道路；而失敗也不是末日，因為只要願意前進，前方依然有路。重要的是，我們要跟孩子分享如何擁有堅持不懈的勇氣與行動力。讓孩子透過每天的實踐看到自己的進步，在明天成為更好的自己。

**老師的心內話**

我的鄰居有個小女孩，非常乖巧，成績也很好，但就是動作慢，還曾經在考試時數學試卷有一面來不及寫完。我跟她媽媽提到番茄鐘計時器，並特別提醒務必讓孩子可以看到計時器還剩餘多少時間，她回去立刻讓女兒使用，效果很好，改善了動作慢的習慣。

# 抽象的心態，仍有具體的操作可調整

〔原子習慣 VS 心態〕

**在日常管理好身心狀態**

身體與情緒的管理是保持良好學習狀態的基礎，不可忽視。

擔任培訓師的過程中，有時會遇到學校老師，有些老師會詢問：「我知道《心態致勝》這本書所談的內容，但就是很難讓孩子調整心態，不知道趙老師有沒有什麼做法可以參考呢？」

首先，一定要好好肯定這位老師，因為只有把學生放在心中的好老師才會思考這樣的問題，不然彼此之間不過萍水相逢，身為老師只要把進度教完，基本上責任已盡；學生沒有學習意願，是學生本身的責任，老師擔任的角色也只能是引導者。只是老師問了，我也就過往經驗提供一些做法給大家參考。不過，我覺得抽象心態如果只是靠思考鍛鍊，那就太虛無飄渺了，建議可以將實際做法以視覺化展現。

在開始之前，必須先強調一個非常重要的前提，那就是「相信人是可以改變的，而若要改變別人，需先試著改變自己」。之前聽過一句話說得很傳神，就是「改變自己是神，改變別人是神經病」，我看完笑個不停，但卻又覺得非常有道理；也曾經有順口溜這樣說：「靠山山倒，靠人人跑，靠自己最好。」所以能夠讓自己有不同的思維與因應方式十分重要。羅馬帝國皇帝奧里略（Marcus Aurelius）說過：「形塑我們的不是經驗，是回應經驗的方式。」

當願意自我調整後，很多事情都可能有不同解決方案，因而柳暗花明。

分享幾個我自己採用的實際方法，家長與老師們可以自己先利用，然後再帶著孩子一起做。

## 一、透過寓言故事來改變自己看事情的角度

當我遇到困難時，會讓自己樂觀思考。像是考試考不好，我也會先努力去看自己做得不錯的地方，然後檢討考卷後改進。

我會想想以往聽過的寓言故事，從中尋找希望，例如下面這段故事，看完就能令人轉念：

古代有一個考生進京趕考，到了京城之後，他就入住一間旅館，然後依然努力苦讀，讀累了就去睡覺，他連續做了幾個夢，夢中有很多資訊，在清晨雞啼時，他就醒來了。

然後他回想昨晚做的連續夢，發現是由三個夢所組成：

第一個夢的場景是他自己在高牆上種出白菜。

第二個夢的場景是他走在路上下雨，而他又戴斗笠又撐傘。

第三個夢的場景是他躺在床上，而他的床上有一堆金銀財寶，只是他是背對

金銀財寶的姿勢睡覺。

他一直對於自己的夢百思不得其解，所以當天一亮的時候，他就趕緊去請教鐵口直斷的算命先生，請算命先生幫他解夢。結果這位算命先生聽到書生說完這個夢，就臉上露出失落的神情。

書生看不對勁，就神色緊張地請教算命先生：「能否請先生告訴我這個夢代表什麼意思呢？」

算命先生看了看他，然後就跟他說：「我覺得你今年不要考試回家算了！」

書生聽了大吃一驚，就請教算命先生為什麼。

算命先生禁不起書生苦苦哀求，於是說：「我來跟你解釋，第一個夢境你覺得你在高牆上種菜，只是真的能夠順利嗎？高牆能種出菜嗎？沒有土壤跟營養，怎麼可能種得出菜，所以這是指你在妄想，純粹白費力氣。第二個夢境你在下雨天趕路，又戴斗笠又撐傘，這不是『多此一舉』嗎？要不就撐傘、要不就戴斗笠，只做一個不是更加輕便趕路嗎？所以這代表著你做事往往事倍功半。第三個夢境是你有一堆金銀財寶在床上，而你背對著金銀財寶的姿勢睡覺，這不就是說你對很多珍貴事物『視而不見』嗎？既然視而不見，又怎麼能夠追求得到呢？所以綜合這三個夢境，我建議你還是趕緊收拾包包回家好了，不要去考試了！」書生聽完，付了費用，就悻悻然回到旅館準備退房了。

當他宛如遊魂回到旅館時，旅館老闆看出他的異狀，就主動詢問關心該書生的情況。書生見老闆詢問，也全盤說出連續夢以及算命先生說的內容。那老闆聽完之後，反而對書生哈哈大笑，然後跟書生說：「我明白前因後果了。雖然算命先生是鐵口直斷，但也不是每件事都神準，我對於你的夢境有不一樣的看法，或是你可以聽聽參考看看。我倒是覺得你這次應該要留下來，不留下來參加考試真的是太可惜了！」

這個書生突然好奇地說：「為什麼老闆你要這麼說呢？」

老闆說：「你看，第一個夢境顯示你能夠把白菜種在那些高牆上，表示高中。『高牆上種白菜』，說明你藝高人膽大，絕對是天賦異稟。人家無法做到你做到，這不就是你很厲害的狀態嗎？」

老闆接著說：「你看，第二個夢境顯示在下雨天的路上，你又戴斗笠又撐傘，別人可能會笑你多此一舉，但我倒是覺得這顯示您充分準備、有備無患，如此才能好整以暇，因應即將到來的考試。你能做到別人更多的預防措施，更加能夠保全自己的狀態。」

老闆喝了一杯茶之後繼續說：「你看，第三個夢境顯示你床上有一堆金銀財寶，只是背對金銀財寶的姿勢睡覺。那不叫擦身而過，因為那些金銀財寶一直都在，你只要願意翻身，這些都馬上是你的囊中物。所以說，這次考試就是輪到你『翻身』的時候了！」

考生聽完就突然覺得這麼好的機會一定要好好把握，雖然說跟算命先生講的剛好相反，但人生是掌握在自己手上的，他聽完之後精神就來了，就趕快開始努力念書，用非常積極、正向的態度去面對這次考試，結果居然考中進士。

所以我覺得凡事總有正反面，重點在於事件發生當下你如何去看待，如果覺得很多事情，自己都無法改變，那基本上就會意志消沉、精神萎靡。如果換個角度去看，積極去看到更多可能性，就可以在困難中找出改進的可能性跟希望。你會發覺，積極的態度除了讓心情有更好的調適外，有時候會帶來更多令人意想不到的成果。

## 二、讀一首詩，從中找到領悟與方向

讀詩是我很特別的一個習慣，最早以前我也看不懂詩，後來聆聽蔣勳老師的演講之後，突然發現詩很有趣，開始讀些勵志的詩，像是《INVICTUS／打不倒的勇者》，會知道這首詩是因為與詩同名的電影《INVICTUS／打不倒的勇者》。這是部上映於二〇〇九年的電影，導演是克林．伊斯威特。這部電影我非常喜歡，很激勵人心，因為是由真實故事所改編，真的非常值得找來看！故事描述南非前總統尼爾森．曼德拉（摩根．費里曼飾）如何與南非橄欖球隊長法蘭索瓦・皮納爾（麥特・戴蒙飾），聯手凝聚南非多個種族之間的向心力，透過球賽讓因為黑白人種問題面臨嚴重分裂的南非再次團結。

曼德拉深刻了解種族隔離政策所造成的「種族歧視」、「貧富不均」等相關議題，但這麼多議題要怎麼解呢？剛好有國際運動賽事將在南非舉辦，或許是個讓南非人民團結在一起的機會，於是他決定重整橄欖球隊，在看似無望的一九九五年世界盃中努力奮戰，最終如願拿下冠軍，且讓南非種族問題找到新解方。

而《INVICTUS／打不倒的勇者》這首詩作者威廉・亨利（William Ernest Henley），他從小體弱多病，一隻腳被截肢，為保住另一隻腳，他一生奮力與病魔抗爭，不向命運屈服。這首詩的內容翻譯如下：

夜幕低垂將我籠罩　兩極猶如漆黑地窖
我感謝未知的上帝　賦予我不敗的心靈
即使環境險惡危急　我不會退縮或哭嚎

立於時機的脅迫下　血流滿面我不屈服
超越這般悲憤交集　恐怖陰霾獨步逼近
歲月威脅揮之不去　我終究會無所畏懼
縱然通道多麼險狹　儘管嚴懲綿延不盡
我是我命運的主人　我是我心靈的統帥

孩子剛開始可能不知道如何欣賞詩，但是可以透過詩的背後故事，引導孩子去思考背後的意義，這也是很棒的一件事。

## 三、去戶外運動，讓身心都獲得舒展

維持運動習慣，對孩子跟家長都是很棒的一件事情，運動除了強健體魄外，也是情緒抒發的管道，讓身心都往更健康的方向前進。

最近有科學家發現運動可以改善並強化海馬迴（Hippocampus）的功能，進而達到記憶改善的功效。那到底什麼是海馬迴呢？別看海馬迴小小的，海馬迴是人類及脊椎動物腦中的重要組成，海馬迴名字來源於這部位的形狀彎彎曲曲很像海馬而得名。而人類的海馬迴位於顳葉內側，分別位於左右大腦半球，擔當著關於短期記憶、長期記憶，以及空間定位的作用，對此有興趣的讀者可以上網找尋眾多文獻來閱讀。

多運動會使大腦細胞獲得更多氧氣和養分，幫助神經元生長。相關實驗與論文也證實常運動的兒童和青少年能運用更多的認知資源做作業，持續力較好。因此如果可以的話，老師家長盡可能讓孩子多運動吧！

## 四、回歸原點，照進度進行讀書計畫

很多時候孩子讀書進度有困難，會因卡關而感到沮喪。此時家長跟老師要提醒孩子回顧這段時間的努力，如「在這段時間你已經完成了多少任務」；提醒孩子分享並肯定這段時間的努力，如「你的讀書計畫有百分之九十都跟上進度，真是不容易的事」；還有「看見你明明很累想睡覺，但依然堅持要把書念完再去睡，真的不簡單」……把許多這樣的小故事、小案例記下來，找機會告訴孩子，孩子會明白，原來自己的努力都有被老師、家長所看見，自己並不孤單。當孩子不會自我隔離成為一座孤島時，就不會陷入低潮情緒，相對可以快速脫離低潮。我們可以跟孩子說，「過去你都克服得很好，現在雖遇到卡關也別擔心，我們一起想辦法努力學習克服。」如果家長、老師可以引導孩子這樣做，就再好也不過了。

讓孩子知道，事情無法瞬間改善，而是一步步踏實地透過努力完成，只要能夠聚焦近期讀書計畫並順利完成就好，透過小成就的累積變成大成就，這樣孩子更踏實努力，並可消除好高騖遠的情緒起伏。

## 五、聽一首勵志歌曲，撫慰心情再次奮起

遇到困難的事情時，有時我會去聽歌，從歌詞中獲得領悟與力量，像是日本

知名歌手中島美嘉、鬼滅之刃主題曲〈紅蓮華〉主唱 Lisa 等，就是我很推薦的日本歌手，特別是中島美嘉在二〇一三年發表的這首〈曾經我也想過一了百了〉，背後有非常令人敬佩的故事，二〇一〇年十月中旬，她被證實罹患「耳咽管開放症」，此病的症狀為耳咽管會處於關不上的狀態，導致患者的耳朵會不斷地嗡嗡作響，呼吸聲變得明顯，最終讓患者無法聽清楚自己的歌聲，而且音準也會大受影響，對身為歌手的中島美嘉來說可謂是致命性的打擊，而當時她也緊急暫停所有演藝活動專心養病。

不過，中島美嘉仍不放棄自己對音樂事業的熱愛，在休養一段時間後唱出〈曾經我也想過一了百了〉，歌曲以「為了描寫濃烈希望，必須先描寫深層黑暗」作為主題，希望大家繼續勇敢活著走下去，對世界依舊抱有熱情與期待。聽完這首歌跟了解背景故事之後，會覺得自己遇到的困境其實也沒那麼難，好像還是可以克服。

## 六、深呼吸打坐，調整節奏再繼續

當焦慮時，就發現呼吸變得急促，有時候會覺得頭皮發麻。後來請教醫師得知可能是因為血液中氧氣含量不足所造成。當再度發生時，我就會先暫時放下工作，給自己一點時間深呼吸、打坐，以調節呼吸的深度和頻率，就能有效放鬆相對繃緊的神經，進而舒緩焦慮的心情。等身心安定之後，才繼續工作的狀態，此時腦筋會相對清楚許多，也進而提升工作效能。

深呼吸能增加身體內的氧氣含量，刺激副交感神經運作，促進血清素分泌以穩定精神。透過深呼吸，二氧化碳能夠從體內排出，消除疲勞，並達到休息跟改變節奏的功效。

深呼吸的關鍵是呼與吸要用不同的方式，吸氣時「慢而持續」，也就是吸氣時盡量深吸，讓氣體能充滿肺泡。而吐氣時「快而用力」，也就是吐氣時要盡量用力吐乾淨，這樣才能將廢氣盡量排出體外。

當孩子遇到困難而眉頭深鎖時，先帶孩子深呼吸，讓身體做一些調整，腦袋清楚些時，說不定很多的困難都迎刃而解！

以上這些方法，都可以嘗試看看，會發現心情上比較平靜，平靜的心才能夠因應很多困難，急事緩辦，一件一件來，就會發現很多事情會逐步推進，也可以從中慢慢建立成果與自信。

老師的心內話

除了聽勵志歌曲外，我們不妨也帶孩子一起欣賞歌曲，使歌曲成為親子溝通的橋梁。例如，可聽聽搖滾天團五月天的作品，孩子們都很愛。而有次看見孩子一個人靜靜生悶氣時，我放五月天〈我不願讓你一個人〉給孩子聽，孩子便知道自己並不孤單。

# 埋頭苦讀前，先設定學習的方向

學習策略
習慣
考前準備
學習筆記
成為讀書高手
心態
記憶
運氣
人性

在此章節我們以擬定「學習策略」為主，師長可依照需求搭配「記憶」與「運氣」中的原子習慣，一起來協助孩子制定學習策略。

人生的賽局無限，學習也沒有止境，不要拘泥於現在的成績高低，而是要著眼長期的成長，了解考試的遊戲規則、改善偏食強科、克服弱科，尋找可以一起讀書的學習夥伴，制定學習的策略，以建立長期的學習力，才能在未來生活中迎接更多挑戰。

# 人生是無限的賽局，要建立長期的學習力

〔原子習慣 VS 學習策略〕

**將學習視為長期的挑戰**

人生不僅是眼前的考試，未來有更多挑戰，堅持學習與實踐，把所學知識轉換為自己能掌握的技巧。

請想像自己還在學生時期，你的同學公布他得到全國書法冠軍，然後可保送升學，你看到同學在臺上風光領獎，而自己在臺下鼓掌，此時你內心會怎麼想呢？如果你覺得這位同學太棒了，為他感到開心，那是很棒的欣賞角度；如果你在心中覺得「這又沒什麼了不起」、「那不就好棒棒」，你心中有可能滋長了妒忌心，落入了「有限賽局思維」，但人生是一場無限賽局，必須要學習擁抱它。

這種思考模式來自《無限賽局》這本書，作者是名列全球管理思想家排行榜

「Thinkers50」的暢銷書作家賽門．西奈克（Simon Sinek），他在書中提到無限遊戲沒有規則，玩家可以根據自己想做的事，自行設定遊戲目標；沒有規則，就沒有輸贏，遊戲也不會結束，只有玩家自己不想玩，或資源耗盡時，才自行退出遊戲。否則在無限賽局中，玩家的終極目標只有一個——讓遊戲繼續進行下去。

## 考試只是一時，未來生活才是無限挑戰

為什麼抱持無限思維的觀念很重要呢？因為很多孩子都覺得為了考試才要讀書，一不考試就不念書，考試好像全民公敵一般可怕，若可以逃避，很多人都不想面對。但我想反問大家：「真的這麼嚴重嗎？」你覺得三天打魚，兩天曬網，沒有恆心、經常中斷，不能長期堅持的學習比較容易進步，還是持續不斷精進比較容易有所得呢？如果我們都知道答案是後者，但是為什麼我們的行為都會偏向前者呢？因為我們的眼界經常只看到現在，沒有從過去吸取經驗，也沒有用更大的框架去思考未來。

需要學習的知識種類浩瀚無垠，不但有千百年前建構的基礎知識，還一直有新知識出現，像是元宇宙、NFT、ESG、電動車、智能製造等，很多內容都不在學校教的內容裡，那要不要學習？肯定是要的，所以「終生學習」已經不是口號，而是現在進行式。**只有堅持不斷學習與實踐，才能把所學知識逐漸轉換為能掌握的技巧與能力，這樣應對生活、工作、學習才能更加得心應手**，在學習道路上立於不敗之地，進而讓自己成為更炙手可熱的人才。當我們已經能夠調整自己的觀念並且將學習當成習慣，如同呼吸一樣自然的話，培養長期學習力真的水到渠成。

考試成績的意義是透過成績看孩子是否有所進步，成績只是進步的副產品而已。這讓我想起看過的一則小故事：

有一隻小獅子問牠的媽媽：「幸福在哪裡？」

獅子媽媽說：「幸福就在你的尾巴上。」

於是，小獅子不停地追著自己的尾巴，牠追了一整天也追不到。

獅子媽媽笑著說：「幸福是不必刻意去追尋的。只要你往前走，幸福就會一直跟在你身後。」

成績就如同故事中的幸福一樣，不必刻意去追尋，而是應專注在前進的道路上，並且踏穩腳步。孩子現在所面對的考試總有一天會結束，但是生活的考驗將要開始，別養出一群被知識填鴨的孩子，而是要培育有能力學習並因應未來時局變化的人才，**為達成目標，擁有學習力是不可或缺的關鍵，特別是長期的學習力與累積。**

## 不止學而思，更要起而行

過往讀書時，曾讀過一個關於窮和尚與富和尚的故事，出自清朝彭端淑《白鶴堂文稿》中的〈為學一首示子姪〉，文中闡述著如果能堅持行動，就會看到很明顯的突破與進步。

其中一段原文如下：

蜀之鄙有二僧，其一貧，其一富。貧者語於富者曰：「吾欲之南海，何如？」

富者曰：「子何恃而往？」

曰：「吾一瓶一缽足矣。」

富者曰：「吾數年來欲買舟而下，猶未能也。子何恃而往？」

越明年，貧者自南海還，以告富者，富者有慚色。西蜀之去南海，不知幾千里也；僧之富者不能至，而貧者至焉。

人之立志，顧不如蜀鄙之僧哉？

白話文是這樣的：

在四川的偏遠地方有兩個和尚，其中一個和尚很貧窮，而另一個和尚則很富有。有一天，窮和尚開口告訴富和尚說：「我想要到南海去，你認為怎麼樣？」

富和尚說：「你憑什麼去呢？」

窮和尚說：「我只要一個瓶子和一個飯鉢就夠了。」

富和尚說：「我幾年下來都想要雇船順流前去，卻還不能辦到，你憑什麼去南海呢？」

第三年，窮和尚從南海回來了，把經過告訴富和尚，富和尚露出慚愧的神色。位於西邊的四川距離南海，不知道有幾千里的路程；富和尚不能到達，窮和尚卻到了。

我們一般人立定志向，反而比不上四川偏遠地方的窮和尚嗎？

「堅持到底，持續前行」是知易行難的觀念，前面談到了持續學習，大多數家長跟孩子也都知道這很重要，但實際上很多人還是做不到，原因是沒有好的學習方法，如果可以用適合自己的學習方法，相信做很多事都能事半功倍，因為有好的成果，就是很棒的正向回饋，令人更加喜歡學習，進而產生正向循環，讓我們持續學習下去。

**老師的心內話**

現在是知識大爆炸的時代，如果沒有不斷學習，很可能就直接被時代所拋棄，連聲再見都來不及說，但我們不止要學習新事物，也要在學校學習幾百年前就完整建構的基礎知識，因為不把基礎打好，很難構建新的知識內容，之後會因為感覺到學習難度大幅提升而苦不堪言，後來可能因此就不學習了。

# 打破迷思，了解學習的遊戲規則

〔原子習慣VS學習策略〕

**在規則中求新求變**

制度與課綱的內涵是升學的遊戲規則，若能先了解，在學習時可減少「不必要」的挫折與失落感。

孩子們都很喜歡玩遊戲，事實上大人也不例外，我還認識不少外商顧問在玩「傳說對決」，因為在龐大工作壓力之下亟需紓壓。最近我也在玩「砰砰法師」，進入新的遊戲時，系統會出現一些遊戲規則來引導，簡單了解後，大家就能很快融入遊戲世界中。

從玩遊戲的經驗中發現，開始玩時總需要一段時間摸索，但會因為新鮮感，並對新遊戲不熟練，所以闖關失敗也無所謂，重新開始就好！若玩幾次都不太順利，可能會有人覺得這遊戲不適合自己，然後卸除遊戲；也有可能會有人回去再次觀看遊戲規則或觀摩過關影片，然後檢討回顧自己哪一步驟遺漏或是沒有做好，進而取得進步。無論哪一種狀況，重點是玩遊戲的過程中是開心的。

而所謂的「玩遊戲」，不就是「自願去克服非必要的障礙」，這是《蚱蜢：遊戲、生命與烏托邦》一書中給「玩遊戲」的定義。我覺得真的很貼切，而且玩遊戲的思維與日常學習的思維非常類似。

生命的本質是從障礙開始的，小嬰兒想要拿奶嘴但拿不到，開始練習揮手、握拳，看能不能拿到，透過碰觸物品，開始感知物品的外在形狀，進而感知外在世界，你我也是這樣慢慢長大。所以嘗試錯誤法（Try and Error），簡稱試錯，是用來解決問題、獲取知識的常見方法。此種方法可以視為簡易解決問題的方法之一，與使用洞察力與直覺或理論推理等方法正好相反。

只是在逐漸成長的過程中，愈來愈多的事情與能力需要學習，時間變成極為有限的資源，而且有時候失敗的代價很高，因此使用嘗試錯誤法的比例會逐漸下降，而且可能會有一些規則出現，如果我們可以**依照這些規則操作，就能有效避免錯誤與失敗，進而避免挫折，增加自己的成就感，這就是運用遊戲規則帶來的成果。**

但就我自己的教學經驗觀察，很多人並不理解遊戲規則，並且產生不少迷思，讓我們一一來探討。

## 迷思一：線性推論，好成績→好學校→好工作

通常家長、老師會有這樣的線性推論，這個想法是來自未來如果希望有好工作，通常上好學校比較有機會，那若希望上好學校，通常考好成績比較有機會，所以會形成這樣的推理：好成績→好學校→好工作。

我覺得家長們也都很聰明，非常會以終為始來思考，所以就特別要求孩子成績，認為成績在未來職場競爭上十分重要，所以很多人從小就送孩子到處補習，希望孩子不要輸在起跑點上。但找到好工作之後，人生就沒有其他煩惱跟困擾

嗎？基本上，所有人思考後，都會認為當然還有很多煩惱與困擾等著我們，只是不知道該怎麼解決這個問題，而且不止一個孩子遇到這樣的情況，因為每個孩子都在這個教育體系當中，所以這是一個系統性問題。

那為什麼很多學校老師都會講「以後升高中、大學就可以由你玩三年、四年」類似的話語呢？因為跟學習制度有關係，科目老師能做的就是讓學生對該科目更熟悉，然後可以考到相對理想的分數，也相對會有更多的選擇；當孩子到下一個階段（國小升國中、國中升高中、高中升大學），基本上跟該科目老師已經沒有連結，老師無法在下一個階段陪伴孩子，孩子有自己的路要走，而且很多議題也非老師個人能夠處理，畢竟個人能力有所侷限。

政府教育部門為多元入學做了非常多的嘗試，只是為了要有統一的標準，目前考試仍是相對占比較高的評量方式，怎麼改都無法讓所有人滿意，因為不同孩子的擅長領域本來就不同，可以發揮的評量模式也不盡相同，能做到相對公平已是萬幸。

孩子學習上若能在不同領域科目中學習與探索，了解自己的興趣所在，未來才能根據自己的興趣做出職涯選擇，從事自己相對喜歡的工作，不然選擇一個不喜歡的職業，好像也很難開心過好一輩子。我認同這樣的初衷想法，希望孩子可以有更多可能性，活出自己的精采人生！

但理想歸理想，還是有現實層面需要考慮，就目前臺灣的學制依然要求通才的狀態，比的還是分數，只是評估形式變得較多元，但這就是目前的遊戲規則。依然是總分高的人成績排名在總分低的人前面，而排在前面的人擁有比較優先的選擇權或因此得到相對多的資源。基本上這樣的遊戲規則不會有太大改變，必須先認清事實。

其實，在職場上也經常會需要分數排名，半年或一年就要做績效考核，除了依照績效表現，還要加入主管與自我的評分，來決定績效表現好壞排名與獎酬多寡。未來孩子也會長大，有一天也會進入職場，面對這樣的模式，不如趁早熟悉遊戲規則，才有更充裕的時間準備因應。

如果讓孩子了解學習的有效方式，就可以花相對少的時間來因應考試，並且擁有很不錯的成績，那就能有更多剩餘時間，可以培養與鍛鍊自己的興趣與喜好，甚至未來出社會後需要的必備技能。這樣的做法或許不完美，但對於解決目前與未來的困境不失為一種方法。

## 迷思二：考試排名就等於智商排名，考得好就等於比較聰明

這樣講可能覺得武斷，在此列舉幾個問題，看是否可以釐清這個迷思。

Q：為什麼學校需要考試？

Q：考試分數重要嗎？為什麼？

Q：我在意的是分數還是知識？

Q：為什麼我需要複習？

若尚未掌握現今學習的遊戲規則，這些問題可能很難被回答出來；也或許過往也沒有一個機會讓我們好好思考到底所學是為了什麼，好像都是時間到了就

從一個階段畢業，進入下一個階段，從幼稚園到小學、中學……，然後學習各階段已經設定好的課業內容，並沒有清楚思考與被告知「為什麼我們要學習這些內容」，然後就出現「知其然不知其所以然」的情況，可能陷入追求考試分數的無限循環當中，陷入泥淖難以自拔。

所以如果讓孩子能夠掌握學習的遊戲規則，可以讓孩子在學習時相對減少「不必要」的挫折感與失落感。雖然鑽研一件事情總是會有相對應要付出的代價，但若是因為對學習的遊戲規則理解錯誤而造成挫折感與失落感，我就覺得這樣的受傷很冤枉，能夠避免就務必要避免。

一〇八課綱的改制立意良善，只是執行狀況好像讓孩子從考試的短跑衝刺賽變成馬拉松耐力賽。改制後，盡量避免過去「用強科分數彌補弱科分數」的做法，而是要做到每一個科目都很重要，因為只要有一個科目失誤，可能排名差距就會非常大，因此錯失想要上的學校。

對於新考招，在拜讀很多內容之後，重新梳理成表單，遊戲規則很清楚，原先的設定，是希望大家可以評估對自己「相對有利」的考試方式，然後進入相對喜歡的學校或科系就讀。如果對於數理比較不擅長，就可以選擇對於自己相對友善的測驗方式與入學方式，以達到多元入學的效果。

以下是新課綱的重點原則：

- 大學招生維持多管道、多資料參採方式；考招設計應能有助於推動新課綱強調素養、跨領域及多元選修之精神。
- 招生管道以個人申請入學為主，尊重大學校系自訂不同管道招生條件，並重視學習歷程，參考學生高中階段修習特定領域／科目之必修或選修課程表現，藉由檢視多種類資料，激勵學生適性發展，並能落實高中領域學習的完整性，讓學生於高中所學得以銜接大學教育。
- 入學考試將配合大學選才需求辦理，以部定必修課程設計考科評量基本核心能力，加上部定加深加廣選修課程設計考科評量進階學習成就。入學考試時程之安排應避免影響高中正常教學及學生多元適性學習。

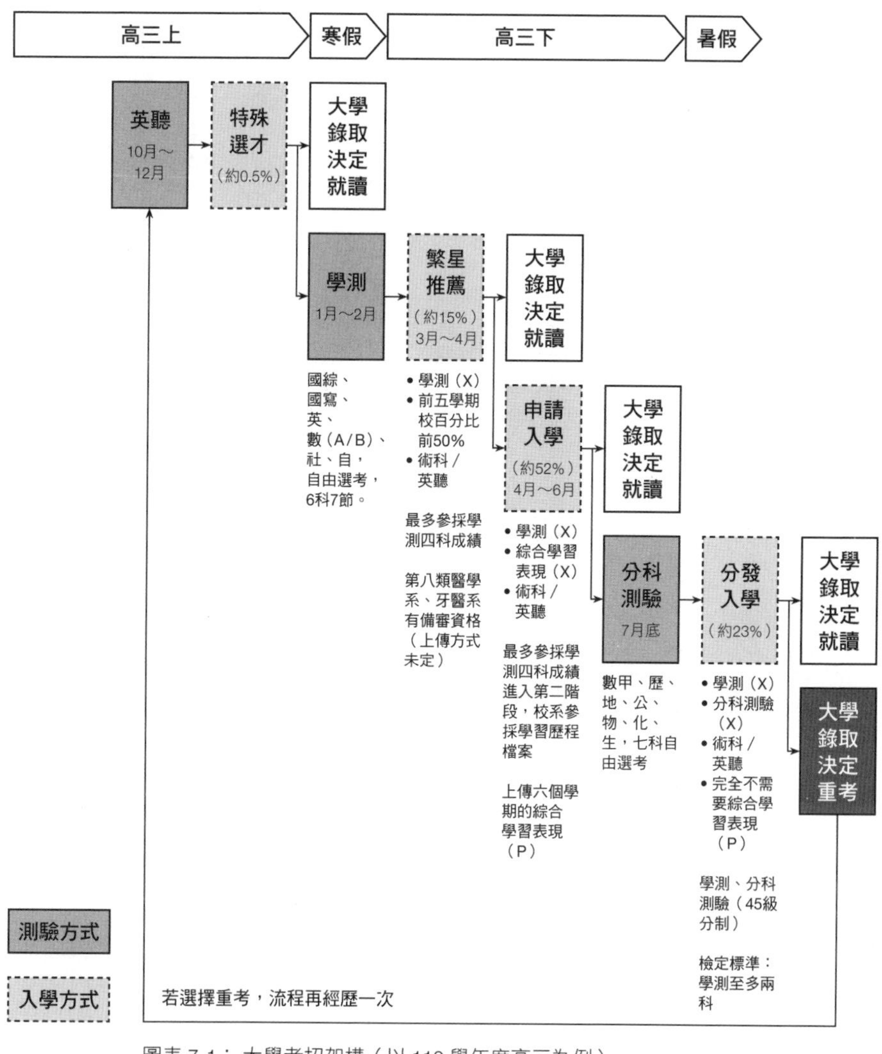

圖表 7-1：大學考招架構（以 110 學年度高三為例）
圖／趙胤丞（2021.01.24）

這樣做的目標是大學選才多元、高中教學活化、學生學習完整、促進社會流動，立意良善，但身為考生可能有不同的思考方式，反而可能出現這種狀況：考生對於自己擅長的科目沒有把握，就會想說既然有好幾次考試的機會，要不要多嘗試幾次，以期從中碰上可獲得高分的機會。

我曾經遇過有孩子擅長數理科目，但是英文卻很差，他本來想說用強科彌補弱科，甚至連科系都是選擇採計數理科目為主的科系，照原先都打好如意算盤應該可以考上國立大學，但那次考試數理題目簡單，很多程度沒有他好的學生也都考滿級分，由於當次數學滿級分的人數突然增加很多，鑑別的難度提升，數理好的人失去了優勢，而需要其他評估標準，或者是透過考試以外的其他內容來做區辨……所以其實所有遊戲規則都一樣，就是要讓自己在每一部分都呈現最好的狀態，不用靠取巧，而是踏實從容的因應。其實，**考試考高分真的不是為了獲得高分而已，重點是為了獲得對未來選擇的權利，這才是成績的意義。**

我們要學會的是「知識」本身，考試只是一種檢核工具，確認我們理解多少而已，千萬不要掉入純粹追求分數的迷思中。

## 迷思三：學習一定要快樂，不快樂的學習不該存在？

常聽到「快樂學習」，但快樂學習的真正意義並不是學習過程很歡樂，而是強調掌握到知識的快樂，若只是尋求學習過程中的快樂輕鬆，但是沒有學到任何東西，就失去學習的本質。就像股神巴菲特所說：「學習並不一定是快樂！」可是，若能透過學習過程中的糾結得到成長，了解自己成長就是那一份喜悅，我覺得那才是熱中於學習的狀態。所以重點是要在意分數，還是在意自己是否有所進步，這是完全兩回事！

如果只是在意分數高低、成績好壞，當考到那個分數後，通常就不會再繼續進步或做相關調整。可是，如果在意的是有沒有進步，當學會了加減乘除之後，就開始想繼續了解有什麼變化型？能不能應用在生活中？

像我是實用學派的人，認為若能將學習到的知識在生活中應用，絕對會非常有效地幫助生活。我想起日本暢銷作家樺澤紫苑先生所出版的《最高學習法》，書中有提到「三分輸入，七分輸出」是職場上非常好的黃金成長比例。雖然比例多少各家講法不同，但我非常認同一件事情，就是要不斷輸出。簡單來說，就是**學到就要用出來，唯有致用，才能把學到的知識技能內化成自己的能力。**

請師長這樣做

## 在日常生活中與孩子活用知識

當孩子在學習加減乘除的階段，若出門買東西排隊結帳，我會刻意請孩子計算我們採買東西的總價，讓孩子練習加法。而當把錢拿給櫃檯服務人員時，我也會把握機會請孩子算算會找我們多少錢？假設找了三十七元，會有幾個十元硬幣、幾個五元硬幣、幾個一元硬幣呢？這樣可以同時讓孩子練習加法與熟悉硬幣組成的特性，也開始有十進位的概念。

通常拿到找的零錢後，還會請孩子算算是否正確，例如收到三個十元硬幣、一個五元硬幣、兩個一元硬幣，要確認孩子能夠算出來是三十七元。

還可以順便問：「如果你是櫃檯服務人員，硬幣不夠，手邊只能找給客人一個十元硬幣、兩個一元硬幣，那要給客人幾個五元硬幣呢？」讓孩子思考三十七元有哪些變化組合……這些都是可以將數學應用在生活中的好方式。

舉例來說：如果孩子每個禮拜零用錢有五十元，因為週二體育課口渴買了一罐臺鹽海洋深層水花了二十九元，請問一下孩子這週零用錢還剩下多少元可以存起來？

儲蓄＝收入－支出

？元＝50元－29元

儲蓄＝21元

用這樣的方式來訓練孩子對錢有相對正確的觀念與敏感度，也就能降低未來成為月光族的機率。

臺灣學習的遊戲規則是期待多元發展的同時，卻又期待專注深入，在看似衝突的需求、讓人有所疑惑的環節之下，或許可以從中找出自己合適的道路，透過有效的學習方法，讓孩子在多元發展的同時也取得不錯的成績，並在自己所盼望的領域深耕發展，這樣或許是相對穩健的一條道路，也是熟悉學習遊戲規則的做法，提供給各位參考。

**老師的心內話**

千萬不要用考試成績排名來決定孩子的聰明與否，因為我進入臺灣大學後，同學都是各個學校佼佼者，但我發現僅有五～十%的學生是「資優生」，天資聰穎，什麼都一學就會，但大多數考進臺大的學生都是「績優生」，雖然不是聰明絕頂，但都能靠自己努力找到一種方法突破並確實取得分數，這樣努力的人在臺大也不少見。

# 找到適合的學習法，才能有效學習

（原子習慣 VS 學習策略）

**找到正確有效的學習方式**

學，不一定就會，要從理解、記憶與連結三個層次去檢驗孩子的學習困境，進一步協助孩子有效學習。

課堂上「跟課旁聽」的家長們在聊天時，我聽到有位家長說：「不會很正常，學就對了，學就會了！」就心態層面來看，我還挺肯定這家長的，因為挺開明，也具有成長心態，知道剛開始學不會要多給一些耐心，有正確的開始，後續透過練習就能有所進步，但好像忽略掉了「學習方法」。

孩子究竟是否有好的學習方法？這個問題在華人家庭中很少被提出來討論，甚至家長可能會有「孩子在學校都學過了」、「這孩子應該會了」……等各種假設，跳過了學習方法，但事實上孩子並沒有「學會」。這不是我危言聳聽，而是透過觀察發現的事實，主要因為大多數的家長離學生考試階段已經非常遙遠，對於孩子目前所學的內容生疏甚至陌生，所以很難指導孩子讀書技巧，或是僅能使用殘存記憶的讀書方法片段來指導孩子。如果家長、老師只是跟孩子說「學就對了」，只能激勵孩子多學習，但缺乏好的學習方法，孩子在學習方面依然可能事倍功半，並感到挫折。所以，**當孩子不會時，要協助他們找到正確有效的學習方式，才能更有效率、更容易學會。**

而我覺得更關鍵的是家長本身是否了解如何學習，如果了解得夠清楚，對於孩子的成長將會更有幫助。而且家長以前習得的學習方法，年代久遠，不一定適用於現在，比如以往我們學英語時需要死背單字，不但忘得快，好不容易背起來，卻也不知該在什麼情境使用；而現在的英語課採用浸潤式教學，孩子在背單字的拼法之前，就已經知道該用於什麼情境，過去與現在的不同顯而易見。因此，教導孩子的方式，也需與時俱進，找到適合現在教育環境的有效學習方法。

## 從大腦科學看學習

說到有效學習，一定不可忽略大腦科學，而如果從訊息傳遞跟訊息如何在大腦固化的情況來談，就需要理解「神經可塑性」的概念。什麼是「神經可塑性」？根據維基百科所述，神經可塑性是「**重複性的經驗可以改變大腦的結構**」，為什麼重複性的經驗會改變大腦的結構呢？這就要從神經元（neuron）談起。神經元又名神經細胞（nerve cell），是神經系統的結構與功能單位之一，神經元能感知環境的變化，再將訊息傳遞給其他的神經元，並命令集體做出反應。當新的刺激出現時，大腦神經元會產生新的化學分泌物做出傳遞，當同樣的行為刺激出現頻率增加時，只要一傳遞相關化學分泌物，就會直接啟動觸發反應，也就會讓速度變快，這也是為何透過刻意練習，可讓想要鍛鍊的技能愈來愈快完成。

## 學習困境三層次的應對法

當知道這個連結之後，就可在學習上利用這樣的機制。我建議可從三個層次來處理，以協助家長、老師了解孩子目前遇到的學習困境。

三個層次分別是：

### 一、孩子不理解

表示內容根本沒有進入大腦，沒有輸入（input）。孩子的情況是連內容的基本觀念都搞不清楚，那更別說把內容記下來了，基礎都搞不懂，怎麼學都徒勞無功，彷彿就是在沙灘中蓋起來的城堡，只要水輕輕一沖，就會因為基礎不穩而整體崩壞。這時必須回到該章節的最基本觀念開始，一步步協助孩子了解，並且要確認孩子徹底理解了最基本的概念。

## 二、孩子記不住

表示理解了內容，有輸入進入大腦，但沒記憶（memory），也就是學會的內容尚未記住。此時仔細去看孩子的情況，會發現基本觀念都懂，但是就很難記住內容，這通常是因為孩子記憶基礎不穩固，要多鼓勵孩子撰寫練習題，透過實際操作來找出似懂非懂的區塊，然後把不熟悉的內容加以強化牢記。

## 三、孩子考試時沒連結到內容，沒有建立關聯（association）

表示與試題有關的內容沒有提取成功。如果家長發現孩子理解了觀念，但就是考試時想不到答案，那還是要歸咎於對於內容的不熟悉，通常可能是因為孩子缺少刻意練習，因此要多做練習題，並且規定孩子要在有限時間內完成，之後要做好考卷的後續訂正跟檢討，確實把做錯的題目、猜對的題目都回到課本當中找到出處，並且將主題內容重新系統化讀過，這樣才能對知識有更完整的理解。當考試看到題目關鍵字時，孩子就更容易連結到準備過的關鍵字內容，讓孩子的學習事半功倍。

所以，如果孩子真的學不會，可以從以上三層面去檢視孩子的學習瓶頸，比純粹口頭安慰勉勵來得更有用！

老師的心內話

目前孩子的學習與我們以往大不同，例如現在孩子數學應用題的題型比以前填鴨時代生動活潑多了，但這也更加考驗孩子基本的語言理解力，必須要看得懂題目，才能正確作答，也就是在數學科目中，語言理解力也很重要呢！

# 利用系統化操作，改善弱科

〔原子習慣 VS 學習策略〕

**不要討厭弱科，以方法就能補強**

抱持「成長心態」，克服厭惡弱科的心理，利用系統化五步驟，從基礎開始理解，就能改善自己的弱科。

在我讀書的過程與教學經驗中，遇到「各科目都極為擅長的學生」真的是鳳毛麟角，通常孩子都會有自己相對擅長的科目與相對不擅長的科目，但我發現其實各科功課都好的學生，並不代表他喜歡每一個科目，很多時候是因為希望自己考得好、排名在前，那就必須加強弱科，當弱科強化到跟強科一樣時，就會發現自己弱點變少，排名也就往前推進，所以說加強弱科絕對是一個非常重要的課題！

## 加強弱科前，要先克服厭惡弱科的心理

大家都喜歡看到「考一百分的自己」，考一百分叫做「完美分數」、「滿分」，也就代表在這個範圍中內容的學習已經達到圓滿狀態，我們也會因此對自己產生肯定，覺得「自己太厲害了！」、「我真的是天才！」、「果然〇〇科目是我的強項」。因為考試成績的激勵，也更喜歡學習該科目，然後花更多時間沉浸在其中，自然就愈來愈熟悉內容，下次考試成績也會考得很不錯，更進一步鞏固自信，形成學習的正向循環。

但遇到考試分數不好的科目，就可能不是這樣的心情與學習狀態了，而是覺得內容艱澀難懂、自己沒有興趣等，而當拿到差勁的分數時，常會對自己產生懷疑，覺得「我真的是笨蛋！」、「果然〇〇科目是我的弱項」等，而考試成績的挫敗，也會讓孩子更討厭面對學習該科目；本來就成績不佳，然後又討厭複習該科目，當然對內容更加不熟悉，下次考試成績也不會有起色或是每況愈下，並進一步喪失信心，形成學習的負向回饋循環。

為了避免落入學習的負向回饋循環，必須先克服厭惡弱科的心理。請務必告訴自己：「**每個人都有不擅長的事，但可以透過學習跟努力，讓情況不會持續惡化並得到有效改善，這是絕對做得到的！**」

《心態致勝》一書中提到「成長心態」（growth mindset），相信每個人初始的天賦、資質、興趣或性格可能不同，但可透過努力和累積經驗而改變。我以前也曾固守著「定型心態」下決策，因被過去的成功綁架、擔心失敗，會傾向於重複做一樣的事情，但做一樣的事情很難出現不一樣的結果。所以以前我遇到弱科可能會責備自己，怎麼這樣的內容都學不會！但我現在不會這樣做了，我會告訴自己「太好了，我還在成長」，找到了自己還不會的內容，應該感到開心才是。

如果把這些不會的內容都搞懂，就會變成比過去的自己更加厲害，學習的目的不就是讓自己愈來愈好嗎？當找到讓自己變得愈來愈好的機會，當然會非常興奮！

如果用這樣的角度來思考，會發現壓在心頭上的那份壓力與焦慮瞬間緩解不少，然後要跟自己鼓勵打氣：「世上沒有學不會的內容，只有想不想要真的學會！」

我就想起我的好朋友《英語自學王》作者鄭錫懋（Michael）老師，每次當孩子失意挫折不想讀書時，我就分享他的故事。他是大學聯考英文二十分、大一英文重修三次的資深英文魯蛇，但只用了一年時間，就成功敲開英語學習的大門，走出一條脫魯之路。上班教別人算數學、下班教自己學英文，將曾經最害怕的科目，變成生活中可以隨心所欲、自由使用的第二語言，聽、說、讀、寫統統沒問題。甚至還開了外掛，到印度用英語邊旅行邊教書，登上《常春藤解析英語》的雜誌封面故事。每次講到這段都令人熱血沸騰，因為 Michael 老師的故事說明了**不一定要變得很厲害才能開始，但一定要開始才能變得很厲害。**現在考試的成績是過去的努力，不要否定過去的努力，但要記得現在檢討修正，才能夠在未來做得更好！

## 改善弱科的系統化操作

當有了正確的心態後，那要怎麼做才會比較好呢？以下跟大家分享改善弱科的系統化操作。

## 步驟一：預習先念課本，把課本的內容搞熟

當要開始讀弱科的時候，請務必要提醒孩子「不要跟強科的標準作比較」，要謹記在心的觀念與最終目的就是「只要比上次考試進步就好」！只有讓自己減少過度焦慮跟不必要壓力，才能夠相對專心閱讀。

千萬不要抱持「立竿見影」、「立即見效」、「馬上改善」的急功近利心態，因為就我個人的經驗來看，通常弱科不是現在弱而已，而是積習已久，只是剛好在此時展現出來。若孩子在基礎不穩時，又有急功近利的想法，會讓孩子在消化內容時囫圇吞棗，就算碰巧獲得好成績，也並非真實的實力。

所以，比較好的做法就是讓孩子先念課本預習，把課本的內容先熟悉，至少能把基本觀念弄正確，然後把不懂的內容圈起來，這樣上課的時候就可以請教老師，因為有預習，上課聽不懂的比例下降，聽得懂的內容增加，孩子在課堂上會

比較願意聽下去。再者，因為預習時有把不懂的內容圈起來，上課可直接提問，讓老師協助解決問題。

加強弱科就像修補漏水的水桶，做一段時間之後，就會發現漏水逐漸變少了，而這個漏水就是失分，當失分的機會相對變少，就是得分的機會相對變多，成績也就會逐漸改善變好了。

## 步驟二：回去補前面相關聯的知識

孩子在閱讀新內容時，若覺得像讀無字天書一樣，就很難願意繼續念下去，讓家長在旁邊乾著急。但這通常應該是「前面的基礎內容沒有學好」導致的狀況，家長不用太沮喪或放棄，反而要積極去關注的是「如何把前面的基礎內容重新學好呢？」這才是要花精力思考並且執行的問題。

我跟老師們討論過這個問題，有些孩子進了國中後，程度變差，是因為小學的課程內容比較片段，前後銜接性沒有這麼高，即使沒有融會貫通，還是可以畢業；到了國中階段，很多內容需要延續小學所學的知識，才發現基礎很差，只能坐在教室「鴨子聽雷」。國中老師大多都愛莫能助，需要學生自己想辦法補救，但通常孩子不會自動自發，導致愈來愈跟不上進度，最後只能放棄，國中如此，到高中也是如此。

而能打破這惡性循環的就是孩子自己，當然需要家長或老師的協助，其中最適合擔任協助角色的應該是該科目的老師，因為這個科目已經是學生的弱科了，連內容都不想碰，又怎麼會想要回顧前面的內容；而很多家長已經離學生時代太遙遠，對於內容不了解了，家長的協助也是杯水車薪。因此，最能施上力的，不就是該科目的老師！因為學生、家長、老師這三者當中，最了解這門弱科內容的就是老師，因為這是老師最強項的科目呀！因此理想的狀態，就是上一階段的老師都能將銜接未來課程的內容部分做好，下一階段的老師授課前確認學生銜接的內容有學好，才能讓學生將知識的碎片串聯成全局的觀念。

## 步驟三：用自己的話說一次。

很多人花很多時間讀弱科，但卻效果不彰，因為只是順著課本念過去，沒有主動回想，建議先讓孩子嘗試讀一段落之後，把書蓋起來，然後請他用自己的話說一次。接著回想剛剛讀的內容還記得哪些呢？可以問他以下問題：

「剛剛到底念些什麼內容？」

「還有哪些內容還不了解？」

「這件事情很重要嗎？」等等。

這些問題都可以請孩子用自己的話來回答，為什麼用自己的話說出來比較好，而不是把原文直接一字不漏背下來呢？

古代考生都是把內容背下來，科舉考試時才能夠出口成章回答申論題，所以填鴨式教育非常興盛。但資訊時代完全不同，很多事情google就可以知道答案，所以重點是真正了解並消化知識，接著進一步應用於工作與生活。

為了檢視孩子是否真的了解課程內容，就是請他用自己的話說一遍，如果講得很順暢，代表對內容有一定程度的了解，但如果講得卡卡不順暢，代表對剛剛讀的內容似懂非懂。

我的恩師楊田林老師曾說過一句金句：「似懂非懂，就是不懂！」一定是有某個環節沒有搞清楚，這時候千萬不要放過，而是回去重新閱讀課本，把不懂的內容弄懂，其實不懂的地方往往就是那幾個癥結點，只要把這幾個容易混淆的癥結點確實弄清楚，就可以克服瓶頸。通過瓶頸之後，往往都會有一種恍然大悟、原來如此的感受，那時候就會覺得弱科也沒有這麼可怕了。

## 步驟四：做好筆記

做筆記並非只為應付考試，應該說是一種歸納整理的過程，而做筆記的過程也是一種綜合能力的展現，可以訓練孩子的觀察力、判斷力，並培養圖像、傾聽、書寫等能力，有助於孩子未來學習能力與職場關鍵能力的養成。

# 老師協助學生做筆記的做法

能協助做筆記的最佳人選就是學校老師了，那老師可以做些什麼呢？

- 在學校用做筆記、學習單讓大家當作預習作業，可以有效幫助孩子學習歸納重點，還可以加強對素材的熟悉。
- 在課堂上投影展示優秀的筆記作品，更重要是要跟孩子分享筆記作品好在哪裡，常犯的筆記錯誤或迷思又是什麼，這樣不僅讓被展示筆記的學生有榮耀感，也可以讓其他孩子一起學習相對正確的筆記方式。
- 時間允許的話，可以條列出筆記需要知道的重點原則，甚至提供範例示範，避免孩子自己空想，造成做出來的結果不如人意，反而要花更多時間指導。初學者可以讓他們依樣畫葫蘆，像不像，三分樣！有了雛形總是相對比較容易調整的。

## 步驟五：確實做好錯誤題目的檢討

弱科題目錯得多很正常，千萬不要再責怪孩子。重點還是在於「考試後要學會」，也就是「考試後１００分」！

再次強調考試真的只是一種評估工具，反映對範圍的了解程度。所以檢討錯誤題目才是關鍵，**務必請孩子要找到錯誤題目在課本中的出處，然後找出錯在哪裡，並且確實訂正**。例如，當國語生字寫錯字，我們就一定要找到該生字的筆順，重新在旁邊寫一次，然後跟寫錯的字做比較，觀察並找出錯在哪裡，之後再演練一次，確認真的有學會。

改善強化弱科很不容易，每完成一個步驟，都可以給孩子與自己鼓勵；其實累積一個個小成功換取大成功的學習過程中，都需要不斷地鼓勵與自我激勵，才有推力可以繼續，讓我們把這五步驟逐步養成習慣，弱科進步指日可待！

**老師的心內話**

我自己是家長，知道輔導孩子作業有多崩潰，特別是指令不清楚的作業，例如要寫筆記，但家長們彼此之間對於筆記的認知就有非常「寬廣」的定義與格式，有的家長認為只要筆記本裡面有寫字就好、有的家長認為要嚴謹整理，如果老師能夠給予範例，並且說明家長要協助孩子注意筆記的哪些原則，將有利於家長在家輔導孩子，提高作業的完成度與繳交率，也可以增進老師、家長之間的互助。

# 改善學習偏食，不仰賴強項科目

〔原子習慣 VS 學習策略〕

**不同科目用不同方式讀**

強科與弱科有不同的學習方式，但除了從學科著手外，大量閱讀可以全面提升考試成績。

在我教學的經驗當中，大部分的學生總會有強科、弱科，我自己也不例外，回想過往，我也不是每一個科目的成績都在全班頂尖之列，而是有幾個科目在前面、有幾個科目在中間之列，只是剛好加總起來的總分在前段而已。而且，我也發現自己很多時候都會有「學習偏食」的情況。

那什麼是「學習偏食」呢？在飲食方面，我們希望孩子能均衡，不管是營養學專家、學校老師或是長輩都這樣提醒我們，除了蛋白質、澱粉、脂肪外，還要攝取適當的蔬菜水果。我自己也是家長，非常關心孩子的飲食均衡，但通常沒想到孩子在學習上也會偏食。很多孩子的功課可能在安親班完成，家長們在工作一天回家後已經很疲憊，還要幫孩子檢查功課，經常是心有餘而力不足，有時就讓學校老師、安親班老師去照顧孩子的功課，殊不知一個班上有許多學生要照顧，老師的時間有限，想要質量兼具真是不可能的任務，老師能確保孩子功課有完成已經非常厲害了，很難顧到孩子是否真正吸收學習，畢竟這仍然是家長的工作。

這樣的情況持續下去，久而久之孩子會習慣「好像」把作業寫完之後就可以玩耍了，或是喜歡的科目就多讀一些，不喜歡的科目就少讀一些，反正老師、家長們並不會知道，當測驗成績出來不好時，家長們就開始「協助檢討」孩子為何考不好……此時對孩子與家長來說確實不好受，孩子覺得：「都沒有人教導我，考不好是很正常的事情，為什麼這時候要怪我？」家長則覺得：「不會可以『主動』發問，怎麼事事都要等別人教你？」說到這邊，家長多半會開始有情緒了，因為孩子「考不好就算了，結果還學會了找藉口、找理由，這樣以後長大還得了」。往往因此擦槍走火，對孩子講了不該講的難聽話，進而造成彼此關係緊繃。這樣的狀況實在不得不謹慎！

而家長若想幫孩子看功課，可能需要先調整自己的工作時間與效率，這在短時間雖很難企及，但還是可以先從提醒孩子的偏食學習開始，當彼此都能意識到之後，再讓孩子逐步調整改進，一定程度上也會減輕上述可能遇到的議題。

## 強弱科目的偏食檢測

首先，我們要先觀察孩子是不是有讀某一科目的慣性，因為通常都是「讀強科時間很長，讀弱科時間很短」。這是一個很有趣的議題，我回想過往的讀書經驗，對於自己擅長的強科會有很自豪的心態，覺得下次也要把強科考好，不然弱科都已經很弱了，強科還輸同學，這真的面子丟大了。

或許是這樣的心態，孩子會花很多時間準備強科，所以比較不會懼怕強科的考試，因為覺得自己對內容相對熟悉，勝算幅度比較大，漸漸地就培養了學習偏食的習慣，花很多時間念強科，只是為了「鞏固」自己的成績。而當心態放在鞏固成績，學習的目的就在不自覺中偏移，從「要學會區間範圍內的知識」變成「要得到多少分以上」，再次強調，分數只是認真學習的副產品，但總是很容易不自覺地讓「手段變成目標」，於是變成不求甚解的得分機器，我們在協助孩子時要特別留意這一點。

那要怎麼做可以避免孩子囫圇吞棗的學習情況呢？最簡單的方式就是「回歸基本法」，實際問孩子最基本的觀念，到底這段內容在講些什麼？如果孩子回答地支支吾吾、斷斷續續，基本上可以斷定孩子對於該篇章內容不熟悉。如果孩子回答非常果斷有信心，而且都正確的話，表示孩子對於內容是熟悉的狀態。

有些孩子可能會抗拒測驗，特別是用這樣的方式去測試，可能會使孩子擔心若測試不過，爸媽會不會就罵我、打我，或因此不愛我？情緒比較敏感的孩子，有可能會過度擔心並不會發生的事情。家長與老師為了讓孩子不過度擔心或排斥，或覺得複習演練很無趣，可能要多蒐集研究一些不同的趣味複習方法。

## 以趣味的測驗法引發興趣

除了之前提到的測驗加減法，我也開始帶著孩子做不同的有趣練習，以加減法為例，我們準備好一面是算式、一面是答案的卡片，請孩子隨機抽出二十張，然後交給我洗牌，把順序打亂，不然很多時候孩子會想要為了求快而背答案，這樣就失去讓孩子練習的意義，所以務必重新洗牌改變順序。

洗完牌之後，我們就開始測試。我跟孩子定下目標，看看我們能否在一分鐘之內，正確答對二十張的加法卡或減法卡。剛開始孩子無法做到，需要多練習，為了讓他不會覺得無聊，我在過程中安排了獎勵，像是順利達標可以獲得一個小餅乾、小貼紙等等。但並不是單純測驗就完成了，而是要觀察孩子哪幾個項目比較容易卡關、花費比較多的時間，我觀察到我們家孩子是跨越比較大的數字要花比較多時間，像是「9−5=4」、「9−6=3」、「9−4=5」等，為了能改善他的問題，最後我跟他分享一段框架，那就是把數字從 0 到10 都列出來，然後一一帶領跟他解釋每組數字相減的相差。

零（0-0、1-1、2-2、3-3、4-4、5-5、6-6、7-7、8-8、9-9、10-10）

一（1-0、2-1、3-2、4-3、5-4、6-5、7-6、8-7、9-8、10-9）

二（2-0、3-1、4-2、5-3、6-4、7-5、8-6、9-7、10-8）

三（3-0、4-1、5-2、6-3、7-4、8-5、9-6、10-7）

四（4-0、5-1、6-2、7-3、8-4、9-5、10-6）

五（5-0、6-1、7-2、8-3、9-4、10-5）

六（6-0、7-1、8-2、9-3、10-4）

七（7-0、8-1、9-2、10-3）

八（8-0、9-1、10-2）

九（9-0、10-1）

十（10-0）

圖表 10-1：系統性的數字陣列。

孩子經過較為系統的了解後，就聚焦在這些陌生的環節，刻意練習，之後再幫孩子實測一次，看看孩子這次是否能夠順利在一分鐘內過關，通過之後，就會給孩子額外的獎勵，孩子也因此增加自信心。

然後，我也會給孩子示範二十張牌卡可以做得多快，當我示範正確答對二十張加法卡，大概花了二十三秒的時間後，孩子就會感受到差距，有時候就覺得怎麼計算都贏不了爸爸，有時候會不想玩，但是我引導孩子說：「重點不是要贏爸爸，重點是你要知道自己的練習還可以做得更好，你也可以做到跟爸爸一樣，不用思考就馬上能正確回答，我們一起來努力吧！」通常此時孩子就比較會想要努力，希望各位家長也能看到孩子努力過程中的模樣，這真的比考一百分重要許多，也許因為我們的支持陪伴，孩子會願意開始努力讀自己的弱科喔！

若要強化弱科，對孩子來說往往需要先克服的是心情。因為考不好，通常心情也不太好，學校進度又持續在推進，但就是聽不懂在講的內容，小學沒有像國高中一樣的複習考，去幫助孩子釐清是否了解，若家長、老師心想，孩子國高中再來補救就好，長期下來，往往會有後遺症。如國高中突然成績一落千丈，這就是因為小學階段基礎沒打好，上了國高中被打回原形。因此，為了避免這樣的情況，請務必要讓孩子在每一個階段都做好複習，並確認充分了解課程的內容。

## 閱讀或許是翻轉強弱科的關鍵能力

強弱科往往是考試成績造成，除了直接從科目上去加強處理外，或許可以思考是否有核心關鍵能力可以跨領域協助孩子進步。我第一個想到的是閱讀能力，閱讀能力是現在學生的硬傷，很多時候數理科目做錯，並不是孩子不記得公式，而是看不懂題目，這就是因為閱讀能力偏弱導致。因此，推薦各位家長一定要好好培養孩子的閱讀能力，特別是小學生更需要特別強化。如果孩子光閱讀就很吃力，又怎麼能夠期待孩子快速消化吸收呢？最好的方式就是塑造讓孩子隨時都能夠取得書籍閱讀的環境，當然家長也要以身作則去閱讀。就像幼童教育創辦人福祿貝爾（Friedrich Froebel）講過的一段話：「教育無他，唯愛與榜樣而已。

（Education is nothing but a concern for love and role model.）」

創造讓孩子願意閱讀的環境、提供孩子閱讀的刺激，我覺得自己可以做到，因為只要引發孩子的閱讀興趣，接下來孩子會自己完成。我們家大概有近百本繪本，也會依照孩子的年紀，定期添購適合孩子閱讀的書籍，讓孩子持續有新的刺激，對這世界有新的了解。我發現隨著孩子閱讀量提升，認識的單字也會增加，寫國語生字的速度也大幅度提升，而且表達能力也更全面，不會只是講述片段訊息……這都是閱讀帶來的額外收穫。

**老師的心內話**

師長們可以找機會提醒孩子，千萬不要只念強科而忽略弱科，因為就算花很多時間準備強科，但也可能會出現運氣很背的時候，像是考試出來之後發現這次「強科考得太簡單以至於很多人拿高分」、「強科考太難以至於很多人拿低分」等情況，都會讓原先有的強科優勢蕩然無存。

11

# 把同學當成學習夥伴，展開良性的比賽

〔原子習慣 VS 學習策略〕

**學習跟自己競爭**

學業上要花心思而非花心機，同學不但是最好的學習夥伴，更可能是一輩子的摯友。

現代的考試制度很容易讓孩子有比較心態，如今雖不講排名，但還是有PR值，只是換了一種方式呈現排名而已。PR值，又稱為百分等級，是指將測驗中所有考生的量尺總分排序後，依照人數均分成一百等分，考生落在哪個等分，PR值就是多少；若考生的PR值為九十，即表示該生的分數高於該次測驗中九〇%的考生。孩子只要會比較PR值，就知道自己與同學的成績誰好誰壞，那不就還是排名嗎？我對這樣換湯不換藥的方式覺得很疑惑，因為跟他人比較，很容易產生忌妒，有可能會把朋友視為競爭對手，然後很難敞開心胸彼此相互指導，十分可惜。

## 不要將朋友同學當競爭者

《禮記．學記》曾有一句話很吸引我，那就是「獨學而無友，則孤陋而寡聞。」大意是說如果我們想要進步，我們可以和志同道合的朋友一起前行，在學習過程中相互觀摩學習，吸取對方優點、改善自己的缺點，這樣彼此都進步的狀態是最棒的。

若孩子把朋友當競爭對手而處處提防是一種幼稚的行為，因為競爭對手並不是只有同班或同校的同學，若想的範圍更大一點，同一個縣市的、同一個國家的學生，甚至全世界同齡的人，都是競爭對手！

如果用這樣的角度來看，會發現競爭對手多如天上的繁星，根本無法處處提防，若把每一個人都當作競爭者在看，這樣不就沒有任何朋友了嗎？家長與老師們需要在這的面向開導孩子，讓孩子們成為共同奮鬥的學習夥伴。

我國高中時代就有一群這樣的好朋友，到現在認識二十幾年，依然保持聯繫，這是一份非常難得的深厚友誼。我後來回想為何會如此，除了後來一起考入臺大外，更重要的是以前一起學習建立起的革命情感，還沒有進入大人複雜世界下建立的關係，相對是單純且可長可久的。

## 擁有學習夥伴的好處

考試制度會讓人比較高下，總會出現勝負，但不代表不能健康的競爭，並從對方身上學習，像我會跟好朋友一起比賽寫考卷，看誰用的時間比較少、分數比較高，又像是早自習有三十分鐘有小考，我們就會比賽看誰十五分鐘就可以寫完，然後看誰考得比較好，輸的請贏的喝一杯飲料……這樣的比賽我覺得倒是挺好的，不是惡意比較，而是激發彼此潛能的競賽，特別是在作答速度跟答題正確率上，也透過比賽找出哪裡還有學習盲點，並且幫我們改正做得更好，這樣的比賽是彼此求進步的展現。無論是大人小孩都需要有學習夥伴，在此我將擁有學習夥伴的好處整理如下：

## 一、避免自己閉門造車、夜郎自大

一個人學習非常孤單，如果沒有一個比較基準，往往閉門造車，以為自己很努力，沒想到世界這麼大，很多人比我們想像中更厲害。而且，有時老師講得不一定聽得懂，說不定同學簡單一兩句話，就能豁然開朗，瞬間秒懂。此外，在未來人生裡，人不能只活在自己的世界當中，也要跟其他人交流，才能夠有更多的成長機會。

## 二、可以透過觀摩他人得到成長

我以前在練習寫書法時，老師都會跟我們說要去看高手臨帖，第一次看時嘖嘖稱奇，心想怎麼可以寫得這麼好，真的是太令人佩服了，老師要求我們至少要觀摩二十分鐘到三十分鐘，因為在感性讚嘆之後，還要理性學習高手如何寫字，雖然無法看出高手私下練習優化多少次、多少年，但可以明顯看出自己跟高手的水準不同，這樣一種新發現可帶給我們新體悟，讀書的道理亦然。很多人都想要功課很好，那麼跟在讀書高手旁讀書學習，不是非常難得的好機會嗎？怎麼還會把對方當競爭對手看待，彼此求進步不是更好？

## 三、有人懂你心中的苦

有些孩子自己念書遇見看不懂的內容，就會想說之後再說吧，但這樣是逃避的行為，與其考試前熬夜死背活背，不如請教同學早點搞懂更實在。所以，鼓勵孩子找學習夥伴一同念書，有問題時可以互相討論，互相教學，有時同學的解釋比老師說的還容易懂，彼此教學相長，對於內容的理解也可以印象更加深刻。就如同知名歌手周華健唱的經典歌曲〈朋友〉的歌詞：「朋友不曾孤單過，一生朋友你會懂。還有傷，還有痛，還要走，還有我。」彼此一起扶持前進，我覺得是更棒的一件事。

**老師的心內話**

我求學時一直在前段班，班上的排名就是全校排名，競爭非常激烈。也曾看過有功課很好的同學為了讓大家鬆懈，假裝身體不適請假，隔天很虛弱出現，一直跟大家說自己都沒有看書，然後考試考全班第一名，又說「自己實在是運氣很好」，打探到哪一位功課好的同學在哪裡補習，就一定也要去那補習，就是不想要輸在起跑點上面……當大家後來大學之後聚會聊到這些事情，都覺得挺幼稚的，因此，我常跟孩子說，外面的世界很寬廣，與其為了班上的排名耍心機，不如跟同學們一起相互提攜。

# 化零為整，建立良好讀書習慣

在此章節我們以建立方法，養成「習慣」為主，師長可依照需求搭配「人性」與「記憶」中的原子習慣，一起來協助孩子達成「建立讀書好習慣」這項目標。

師長不但要激發孩子對目標的渴望，並與他們一起設立具體的目標，在設立目標時，可以將大目標切分成許多容易達成的小目標；可以利用兩分鐘法則與番茄鐘工作法，化整為零，建立執行力與提升專注能力的好習慣。

## 12

# 與孩子一起討論目標，讓任務顯而易見

（原子習慣VS習慣）

**把目標視覺化**

不但要設立目標，還要讓目標具體化，能幫助我們在實踐定義目標過程中更有前進的動力。

身為家長，經常納悶為什麼孩子對做功課如此漫不經心呢？不是都說要寫作業了，怎麼還在零食櫃前面東摸西摸？位子還沒坐熱，就要跑起來看家人做什麼事？訂了目標卻沒有達成；講很多遍，孩子依然當作耳邊風繼續嬉皮笑臉……看到孩子吊兒郎當的模樣，有時禁不住生氣開口念罵，結果是孩子不開心狂哭鬧，家長則陷入要安慰孩子、不然無法寫作業的掙扎局面。這樣的情況在你家中經常發生嗎？

有次我家發生這樣的事情後，我等孩子冷靜下來，在他們盥洗準備睡覺，情緒已經轉變時，趁機跟他們聊聊「為什麼剛剛不專心」，結果孩子也反應不喜歡爸爸生氣，我跟他說明生氣的原因，對話中我引導孩子「怎麼做才可以讓你把功課寫完呢？」孩子坦誠地表示，他不知道要怎麼做，下次可不可以請爸爸多問一句「有遇到什麼看不懂的，可以跟爸爸說」。經過這樣的對談，孩子與我之間的信任感似乎增加了。

經過這件事，我覺得需要思考的是如何讓孩子把自己的事情與目標放在心上，以及如何讓孩子能夠持續，避免半途而廢，陷入讓彼此關係緊張的惡性循環。

我們有時會覺得奇怪，明明大人意志力就可以撐過去，為什麼孩子都不願意多堅持一下？《輕鬆駕馭意志力》書中提到人的意志力有極限，需要做能量補充。大人多半能夠規劃自己意志力剩餘量，並做出相對應的分配；但對於孩子卻是件難事，因為當看見有好玩的可以玩，一定忍不住大玩特玩，所以要讓孩子用意志力管理行程，難度堪比登月，但並不表示就沒有方法。

## 目標具體化能提升達標動力

想像一下，如果你有個去美國紐約看自由女神像的心願，你覺得是憑空想像，還是把自由女神像的照片貼在房間中比較有感覺？哪一個比較能夠激勵你完成去美國紐約看自由女神像的目標呢？我自己會選擇後者，因為看得見目標。

視覺化是心理學中「可視化（Visualization）」概念的運用，把抽象的內容變成具體內容，讓人一看就秒懂，而且神奇的是，當我們能夠把心中目標及達成目標的好處視覺化時，通常也代表我們已經仔細思考一番，才進而讓目標變得具體，因此也增加了達到目標的信心。整個歷程其實是一種正向的自我心理暗示，可以幫助我們在實踐定義目標過程中更有前進的動力。

當理解可視化目標的好處之後，那接下來就是思考怎麼做比較合適，我們將可視化目標拆成兩階段：設定目標與將目標具體化。

## 設定目標的方法

設定目標不能靠直覺，而是需要科學化的方法。不要小看設定目標，不但在職場上是一門顯學，也可以運用在家庭生活中，在此說明以SMART原則來幫助我們做釐清目標的方法。

SMART原則是由管理學大師彼得．杜拉克（Peter Drucker）所提出，最早出現於他在一九五四年出版的《管理實踐》（The Practice of Management）一書中，而SMART原則是以下五個字的首字母縮寫：

### • Specific：目標必須是具體的

目標應該要是明確的，讓孩子可以清楚知道接下來要做什麼，例如單單宣告要「提高成績」就不是明確的SMART目標，這個目標中沒有明定提高成績的定義，是要在多長的時間段內增加多少個分數？還是平均分數要達到多少？最好是設定「在第二次段考，平均分數增加三分」這樣的目標。

● Measurable：目標必須是可以衡量的

目標應該要是數據導向的，是可以衡量的。如果在目標設定中沒有放上任何與時間或是成果有關的數字，那麼就像是在玩一場沒有分數的遊戲，你永遠也不知道你努力的成效大小。

● Attainable：目標必須是可行或可達成的

目標必須是可達成的，不然訂再高也徒勞無功。要先看看孩子是否有能力達成，而不是設定高目標徒增孩子不必要的壓力與挫折感。如果孩子成績都在中後段，千萬不要一次把目標設在前三名，這樣只會讓孩子提早放棄而已。

● Relevant：目標必須和其他目標具有相關性

目標必須是與孩子在意的相關事項有所關聯。所以我們在協助孩子目標制定時，需要考慮到孩子資源的現實面、孩子的意願等等。而想要知道這個目標設定

圖表 12-1：利用 SMART 原則可以幫助釐清目標。

是否符合「相關」，你可以問自己下列問題：

- 這個目標對孩子來說有意義嗎？
- 這個目標是否與孩子其他目標有一致性？

若為肯定，則就有相關性。

- **Time-based：在設定目標的時候，一定要設下期限**

大腦很有趣，會覺得「沒有期限等於不重要」，可以引導孩子思考：

- 預計三個月後可以達成什麼成果呢？
- 預計一個月內可以達成哪些成果呢？
- 預計一星期內可以達成什麼成果呢？

## 將目標具體化

除了使用SMART原則外，制定目標還需要一個重要認知，就是「目標必須與當事人討論」，若是為孩子設定的目標，家長就必須跟孩子一起討論，而不是強加期待與目標給孩子，這樣孩子才會心甘情願去做，最後要將共同討論的結果，寫成公約，並讓孩子能看見。

此外，在目標具體化的過程中，家長需要注意以下的重點：

### • 誰做決定誰負責

因為目標是與孩子共同制定，也獲得孩子的同意，因此若孩子犯懶不想做，我會跟孩子溝通，並跟孩子分享不做所產生的後果，讓他自己選擇，並讓孩子明白選擇了之後要自己承擔後果。我們秉持「誰做決定誰負責」原則，讓孩子做決定，然後做出相對應判斷，這樣孩子就會知道爸媽說到做到，也會認真看待，進而成為一個更好的人。

## • 提早跟孩子溝通，確認孩子的意願

我女兒上小學時，我與她溝通了上學要做哪些事，只跟孩子說明原則是「多元」、「均衡」，她最後規劃了念英文和國字注音、畫畫、看卡通、讀繪本、玩積木與健身環、做家事。這不是我們強迫孩子要做的項目，而是讓她跟老師聊聊一年級需要學些什麼，然後自己做決定，讓她覺得一年級的自己要比大班的自己更懂事，我們只是陪著她一起完成而已。

## • 孩子還不會計畫，家長引導成關鍵

孩子有意願跟想法，接下來就是協助孩子安排計畫，確保她期待的行程被排進每天計畫中並執行，原則是「安排七分滿」。這時我會帶著孩子討論要做的事、如何排進去每天計畫中、是否時間太長或負擔太大……在過程中引導孩子思考並做出取捨。雖然期望孩子持續學習，但計畫與做法都要保持彈性，只要孩子每天依照自己規劃的進度走，能跟上進度就好。

## 學習四步驟，以洗碗為例

當我們要求孩子時，其實孩子也在觀察大人們會不會做，因此最好的方式就是要「以身作則」，我們說我們做的，讓孩子感受到一致性。而在指導孩子時，請記得他們還是孩子，別忘了要用孩子能明白的話語。以下分享我教導孩子學習洗碗的四步驟，在請孩子執行其他事情時，也可以照這樣的方式進行。

### 一、我說你聽

將洗碗的過程拆分成五個操作順序。

（一）油多、油少餐具分兩類。

（二）以紙巾擦拭油多餐具去除油汙。

（三）以清潔劑水浸泡油多的餐具。

（四）先清洗油少的餐具，後清洗油多的餐具。

（五）清洗後，菜瓜布洗淨、擰乾吊掛。

當說完洗碗的第一步驟後，若直接詢問「有沒有問題？」、「這樣聽懂嗎？」答案往往是「沒問題」，但這實際做出來可能無法到位，此時可直接做第二步驟「你說我聽」。

## 二、你說我聽

當孩子複誦操作順序時，就知孩子了解多少。在我看來，很多誤解常是因為沒有說明清楚導致，與其在孩子做錯時責備，不如一開始就先確認孩子是否有聽懂。

## 三、我做你看

確認孩子理解每個順序後，我會操作給孩子看。在示範時要用孩子做得到角度操作，像是請孩子站在穩固的凳子上，並讓孩子雙手可在洗碗槽底部清洗餐具較妥當，可減少孩子打破餐具的狀況。

## 四、你做我看

換孩子做時，我會在旁邊關心並支援孩子，並在孩子完成後給予不同鼓勵，像是「碗洗得好乾淨」、「有你幫忙做家事真好」，有時也可以給予實質的獎勵，如準備孩子喜歡的點心。孩子也會由此知道父母親不是「緊迫盯人」，而是「在意關心」。等孩子操作得當，洗碗這項任務就可交給孩子了。

我用這四步驟逐步養成孩子良好習慣，並且讓孩子專注在我們一起討論出來的公約目標上，透過不斷完成小目標的累積，讓孩子因此更有自信，並透過小目標的完成得到自我肯定，就可以產生好的正向循環。

老師的心內話

師長要先引導孩子了解目標對團隊或對自己的重要性，甚至要激發孩子對目標的渴望，他們才懂得為何而設，才會為目標而奮鬥。例如讓孩子了解期中考的成績是一種檢視自己學習的成果展現；又如園遊會義賣達到目標，不僅能捐給需要幫助的人，也可以增加班費，減少父母的經濟負擔等。

13

# 找出阻礙學習的陋習並著手改善

〔原子習慣 VS 習慣〕

**找出陋習就改善**

找出孩子的學習陋習，並協助逐漸調整，跳出學習的舒適圈，有助於提升學習效能與自信。

當我們與孩子一起把目標訂好之後，千萬不要天真地認為孩子會照表操課，自己跟上進度。就像在職場上我們也不會期待部屬都能順利自己推進工作，要是這樣擔任主管就很輕鬆了，但總是事與願違。

我記得知名演講家博恩．崔西在《時間管理——先吃掉那隻青蛙》這本書提到吃青蛙守則，其中一個就是若你得生吃一隻青蛙，放著只看著牠沒有意義。簡單來說，事情絕對不會自動發生，一定是要孩子親自實踐才會讓進度推進。

通常要達到的目標都會比現況要來得高或來得好，這也表示需要經過一番折騰與努力才能達成，要透過新做法把舊有的習慣打破，過程間可能會有些混亂，但也要耐得住性子，在混亂的過程中摸索，進而培養出新習慣，接著讓新習慣生根固化，這是一個新習慣養成的歷程，所以家長也是孩子的習慣養成師。

## 學習的好習慣與壞習慣

我們希望孩子能自己努力達成目標，但過程中還是會有一些習慣需要調整優化。要怎麼區辨哪些是好習慣？哪些是壞習慣呢？我建議可以從促進性與舒適性兩個指標來看。

### 一、促進性

請記得時間永遠是有限資源，非常寶貴。猶記得《三寶太監西洋記通俗演義》第十一回曾提到：「可嘆一寸光陰一寸金，寸金難買寸光陰；寸金使盡金還在，過去光陰那裡尋？」

由於時間的可貴，才會在職場中衍生出時間管理的課程，而時間管理的精髓就是「如何分辨輕重緩急與培養組織能力」，其中有三件事需要特別考慮：

（一）什麼是最重要的。

（二）設定好目標與優先順序，去做最重要的事。

（三）把最重要的事用最有效率的方式做好。

身為家長跟職場人士多年，深知無法控制每一件事，要把所有事情都做完基本上是天方夜譚，但我們能選擇哪件事對自己來說最重要，把握重要的先做。如果時間有限，希望孩子兼顧五育均衡，又不希望犧牲睡眠時間的情況下，讓大部分事情都順利完成，就必須思考如何把重要的事情以有效率的方式做好。所以，當目標制定好了後，若發現某些習慣會延遲讀書進度的完成，如做筆記用太多種顏色、花太多時間，那就是個需要被調整的壞習慣。

## 二、舒適性

我們經常會聽到要跨越舒適圈，舒適圈是讓我們能自在生活的環境。為什麼很多壞習慣會很難改掉，某部分就是因為我們創造了一個很容易取得壞習慣資源的環境。

以3C產品為例，3C產品是很多家長頭痛的問題，且內心有非常多的掙扎，好像不給身為數位原住民的孩子學習使用3C產品也不對，畢竟未來思維跟我們過去不同，又擔心可能因此落於人後。但若讓孩子使用3C產品，YouTube Kids、教學頻道、卡通等內容有著絢麗的聲光效果，孩子本身很難自我控制使用的時間，當我們制止孩子時，又導致他們心情不佳，甚至耽誤原先該做的事情。

為此，我們就跟孩子討論，如何在用與不用之間取得一個共識與平衡，像是舉過度使用3C產品，在幼稚園就配戴眼鏡的案例，跟孩子說明我們不是一味限制他們，而是希望他們不要過度使用，如使用三十分鐘要休息，去看看遠方或是去閱讀、畫畫、玩玩具都是很好的。為此，每次讓孩子看電視時，都會先跟他們溝通好可以觀看的時間，譬如說從下午五點半到六點半，也會先跟孩子確認他們是否理解，並跟他們說明時間到了會有鬧鐘提醒他們，到時就請他們關上電視，去做自己該做的事。

## 意識到孩子的壞習慣很重要

以下就我的教學經驗與過往學習歷程，整理出一些孩子在學習上可能會遇到的壞習慣，如果身為家長的我們能從中意識到，並協助孩子逐漸調整，將會有助於提升孩子的學習效能與自信。

### • 陋習一：不專心

很多孩子會覺得「這個我知道了」、「這個我會了」，就很容易上課不專心，孩子心想既然沒有新內容，那就來做自己的事情，可能因此擾亂課堂秩序、影響他人學習。但其實孩子與真正學會還是有一定程度的差距，有時可能老師正在講孩子還不懂的地方，但孩子卻因為分心而錯過寶貴的理解機會，結果反而在課程之後花費更多時間去理解，事倍功半！

請師長這樣做

## 如何協助孩子改掉不專心的習慣

### ・一心一用效率最佳

讓孩子培養「同一時間只做一件事情」的習慣，像是寫作業時，就好好全心全意寫作業，專注學習；玩遊戲時，就好好全心投入玩遊戲，享受其中。千萬不要一邊玩遊戲，一邊擔心功課還沒寫完，結果玩遊戲無法玩得盡興，功課也沒有進度，這樣反而覺得辛苦，而且是很糟糕的情況。

### ．創造不讓孩子分心的環境

我們會讓孩子到自己的房間寫作業，桌面也都只會擺放要寫的作業，玩具跟相關容易分心的繪本都會先收在孩子看不到的地方，因為只要孩子看到，就很容易伸手去拿繪本來看，也就更容易分心，作業也就很難順利完成，孩子過去曾花一整天寫小學一年級的作業，就是因為分心。

### ．引導孩子制定學習計畫

學習最怕三天打魚兩天曬網，試著讓孩子有計畫展開學習，並且讓孩子養成跟上進度的習慣，若孩子能夠跟上進度達成目標，就可以獲得榮譽感與自信心。

### ．輔導孩子卡關不懂的地方

孩子也有可能因為困難不知道怎麼寫而開始不專心。像我女兒就曾經因為看不懂一張英文作業要怎麼寫，而在書桌前呆坐一段時間，直到我過去關心。我看完題目後，跟女兒說明題意，當她理解後，在幾分鐘的時間內，就完成該項作業了。所以，如果能跟孩子建立信任基礎，知道哪些不會的可以來問爸媽，家長可以採取鼓勵心態，肯定孩子願意求助的行為，引導孩子去思考，而非直接給予答案。

## ● 陋習二：沒有了解基本概念

我看過有孩子成績忽高忽低，有時候可以考很好，有時候考很差，成績震盪幅度很大，這孩子也很努力，做了大量的練習題，結果發現他並沒有了解基本概念。所以孩子遇到做過的題目就會答對，遇到變化型的題目就會答錯，那是因為沒有把基本概念充分了解所導致的。

## 協助理解基本概念的方法

・串連關鍵字，充分理解基本觀念

孩子對於基本概念不一定能說明清楚，倒是可以講出關鍵字，此時家長可以協助孩子把關鍵字的邏輯串連在一起，這樣就可以有助於孩子理解與記憶，也才能知其然也知其所以然，不然一味背誦對孩子沒有太大幫助。

・做錯題目要「陪伴調整」

就我觀察孩子大多不愛「檢討」，我有一次問過孩子，他們表示檢討很像放大檢視自己沒有做好的地方。但孩子明明已經考了九十幾分，為什麼都還不肯定自己？後來我就轉換用語了，我會跟孩子說「陪伴調整」，重點是把不會的搞懂就好，做錯基本上就可能是觀念不清楚或是有步驟缺失，我們把這個調整好，就可以增加未來答對的機會。

我們不要只是盯著孩子的作業進度，而是要陪伴在身旁。增加親子互動的時間與質量要趁早，因為孩子很快就長大了，以後他們還不一定讓我們陪，趁現在好好把握難得的親子時光！

### 老師的心內話

很多人都覺得我工作效能很高，好奇我怎麼能在這麼短的時間內完成這麼多的事，「同時」做這麼多個專案。我說我沒有同時做這麼多的事情，我一次也只做一件事情，只是我用非常有效率的方式做完而已。做完一件事情之後，我就緊接著轉換注意力去做另外一件事情，如果不能有效率的完成任務，或者是想說還剩很多時間可以慢慢做，就很可能一件事情拖很久還沒有進度或是進度緩慢。

14

# 利用兩分鐘法則，養成立刻行動的習慣

定目標不難，但是持續執行計畫達到目標很難。很多人目標非常龐大，並希望能有非常妥善的計畫之後再開始，這樣固然可以做很詳細的規劃，但某程度也錯失了契機，讓我們遲遲無法開始進行，等到其他人做出來之後，才發現我們根本都還沒出發，但是卻覺得這個點子是我們想出來的，怎麼被其他人剽竊了而憤恨不平。是他人害我們錯失先機的嗎？不是，是我們自己，是拖延的毛病讓我們錯失良機，於是學習到一件事，那就是「追求完美，也是一種拖延症！」

〔原子習慣VS習慣〕

**小事情要立刻行動**

把大目標拆解成小目標，並立刻去做，只要開始就有機會建立好習慣，家長也要以身作則。

若對「兩分鐘法則」耳熟能詳應該歸功於《原子習慣》。這本書的作者是行為改變學專家詹姆斯．克利（James Clear），他利用「兩分鐘法則」來對抗拖延症。我們往往會因為想太多而沒有開始行動，像是我女兒曾經很想要某個牌子的鉛筆盒，但售價比較高，所以我們鼓勵她透過每天做家事來換取點數，當累積到八十點之後就可以購買，女兒雖然設立了這個目標，但要讓孩子每天都確實執行真的不容易，有時候就是會拖延，雖然做起來不難，但孩子就找很多理由不想開始做。這樣的情況你是否也似曾相識呢？

最初這個概念是在《搞定》（Getting Things Done）這本書中出現，書裡也提到要把事情變少的方式就是把待辦清單變成行動清單，如果兩分鐘之內可以馬上搞定的事情，就馬上開始處理，因為某程度也是幫助自己行動暖機，而且處理完後，也表示順利完成一件事，而能迅速在短短的時間中，把待辦清單的一件事情給消除掉，心裡也會輕鬆一點。例如轉寄一封Email給客戶、寄信、領包裹、洗衣服、洗碗等等，這種事情都可以馬上完成的話，請務必馬上行動。讓心態上時時保持輕鬆，且在完成行動清單的節奏感上，我覺得是非常高效能的做法。

你覺得每天都要運動容易嗎？聽起來好像不難，但要持之以恆運動並不容易，我的職場導師 Annie 姊每天都一定要跑五公里，不論颳風下雨或是豔陽高照，都會完成這五公里。我有次好奇的請教她：「Annie 姊，您是怎麼做到的？」

她只是笑笑地說：「我每天起床習慣有一個儀式，那就是換運動服，有做到這項就可以了。」

我還是一臉疑惑地問：「這麼神奇？可以請您多說一點嗎？」

Annie 姊看我滿臉疑惑便笑道：「這也不是多麼困難的事，我習慣一早起來換運動服已經很多年了，不論天氣如何，先換好衣服再說！當衣服都換好之後，好像沒有動一動就覺得不對勁，開始動就會發現很快就順利完成了，其實也沒有這麼困難。」

我後來仔細研究《原子習慣》，發現習慣是可以拆解的，一個習慣可能會有幾個步驟，像是出門跑步為例，可以簡單拆解如下：

起床盥洗↓換運動服↓拉筋伸展↓出門跑步↓回家盥洗

所以**只要能夠確保自己每一步都順利完成，累積起來就是完成一件事情**，這對孩子也是一樣，習慣養成這件事不分成人或小孩，因為孩子很常拖拖拉拉寫作業，可能明明一個小時就可以順利完成的作業，可以拖兩天還沒寫完。我看到不少家長就會很生氣，覺得孩子這麼拖拉，以後長大該怎麼辦？我並不會因為孩子作業寫得如何而開罵，但我在意的是如何養成一個好的習慣，只要養成好習慣，功課不會差到哪裡去。

## 只要開始，就有機會打敗壞習慣

若想改變孩子拖拉的習慣，我覺得這可以分成兩個階段去進行。

**第一階段是從壞習慣著手改變**。首先要先定義什麼是壞習慣，我覺得壞習慣就是會造成自己或他人困擾的習慣。譬如孩子寫作業拖拖拉拉，其實他也知道自己沒有做好，有時候作業寫不完，但若不去睡覺，明天會爬不起來，可能就表現出焦慮跟憤怒，因為知道自己沒有控制好時間，但是他不知道要如何改進。這時候就需要仰賴家長的引導，起碼要讓孩子知道這是不好的習慣，然後跟孩子確認是否想一起改變，鼓勵孩子只要有一個開始，就有機會可以打敗壞習慣。

家長可以跟孩子討論要改變到什麼程度，對於這件事彼此有共同的認知很重要，如孩子可能吃飯不專心，一頓晚餐可以吃成正式法餐的時間長度，這就是不好的習慣，我為了養成孩子專心吃飯的習慣，就跟他們討論是否能在半小時之內完成，如果可以好好在餐桌上吃完飯，之後就可以延長看卡通的時間。

若剛開始孩子還是抗拒也不要氣餒，抱持「先求有，再求好」的心態，不要給自己與孩子「一定要做到」的壓力，就像蓋高樓大廈一樣要打好基礎，願意做就是很棒的開始，重點是情況有逐漸好轉。

當我們看見孩子的行為改變時，別忘記給予鼓勵，讓孩子可以累積成就感與肯定，之後孩子也會比較願意持續操作，當孩子出現好的行為時，我們就給予肯定，逐步形成正向循環，讓孩子慢慢累積小成功，一段時間後再帶領孩子回顧自己的改變，也是另一種肯定與支持，孩子會願意認同這樣的改變進展。

## 以鼓勵嘉獎，鞏固好習慣

**第二個階段是將好習慣強化鞏固**。我們參考《原子習慣》當中的行為改變四法則，讓好習慣持續進行。

這四個法則除了幫助父母自己培養習慣外，也可以陪伴孩子養成好習慣。就我個人的教學經驗來看，孩子們的天資差距不大，但是讀書習慣好壞差距很大，所以我倡導的是「學習＝策略＋技術」，而不是一種天賦而已。以下分別針對這四項法則說明：

### 一、提示：讓提示顯而易見

簡單來說，家長要塑造一個好的環境。像前面所舉例的孩子吃飯不專心，可能是因為電視正在播放卡通、還有玩具還沒玩完想要玩之類的，我發現其實大人可能也不自覺在用 3C 產品。當我意識到這件事時，就盡可能在吃飯時間不要使用手機，避免孩子有樣學樣。一次專心做好一件事情，無論是好好吃飯、好好讀書、好好運動、好好看電視、好好放鬆或是好好睡覺。

就像我們都很希望孩子多閱讀，但家長自己沒有閱讀的習慣，又怎麼能夠要求孩子們閱讀呢？所以就從自身做起吧！當孩子感受到我們的改變，也會知道自己是有改變的可能性！孩子是我們的一面鏡子，我們也是他們的模仿對象，請各位家長務必要謹言慎行，因為孩子都在旁邊看著呢！

## 二、渴望：讓習慣有吸引力

之前帶小孩去英法旅遊時，女兒正處於吃東西愛吃不吃的階段，正餐往往都拖拖拉拉不想順利吃完，但畢竟到國外行程很趕而且不容易取得餐點，所以就直接跟她說如果現在不吃，之後真的沒有東西吃，孩子不相信，我們也只好讓她體驗肚子餓。於是當女兒肚子餓時，周遭真的找不到東西可以吃，就算再怎麼哭鬧也不可能出現食物，我們只能安撫她，並提醒之後有東西吃的時候，請好好珍惜享用，不然真的會讓自己肚子餓。從此之後，食物對於孩子的吸引力大增。

## 三、回應：讓行動輕而易舉

有餓肚子的經驗後，孩子看到食物就非常珍惜，都會快速吃完，因為她知道沒有珍惜食物的後果，為了讓孩子在餐桌上好好吃飯，我們也會盡量讓孩子取得自己喜歡的食物，適量但不過度。

## 四、獎賞：讓獎賞令人滿足

讓孩子吃飯時間縮短，也讓他發現其實好處多多，例如多的時間還可以看Disney+的動畫。當在半小時內吃完飯，就可以欣賞半小時的動畫；如果超過半小時，就無法看動畫的兩種待遇下，孩子自己會去權衡，我只是讓孩子想起獎賞的美好畫面，促使孩子心甘情願去完成。

此外，固定孩子的讀書時間跟作息時間，也是身為小學家長很重要的課題。在鑽研與教授的時間管理課程時，我發現「穩定且持續產出是高效能的展現」，所以如果能養成孩子固定讀書與作息時間，孩子的生活也會比較規律，也相對能夠自己按部就班完成自己的任務。

我會用一張紙把孩子需要完成的任務都寫下來，貼在顯而易見的地方，視覺化要做的事情可以讓孩子比較不會無理取鬧，通常也會請孩子自己標示所需時間，讓他們知道自己有哪些事情要處理。像睡前跟孩子一起讀繪本講故事，但這件事情有前提，那就是要九點睡覺，如果太晚就寢孩子隔天都睡眠不足，其實反而不妥，所以我們都會提醒小孩晚上要進行的待辦事項，然後跟孩子一起規劃時間，希望孩子都能跟上進度。如果有時候處在即將就要九點的尷尬時間，我就會採取兩分鐘法則，簡單說一段故事，讓進度有所推進，孩子們通常會發出哀怨的聲音，我就會引導他們，雖然故事很短聽不過癮，不過因為時間太晚了，如果你們想多聽一點，明天就要早一點把事情做完就寢，這樣就有多一點的時間可以講故事。

在許下新年新目標時，若想讓自己能更快完成做該做的事，就從兩分鐘法則開始吧！

**老師的心內話**

孩子正在慢慢開始學習同時做很多件事情，這就是成長；孩子目前的角色比較單一，當他們未來成年後，可能需要同時兼顧子女、父母、主管、部屬、客戶等多重角色的轉換，所以學會如何有效把事情推動是非常重要的關鍵能力。

15

# 用番茄鐘工作法，解決拖延病

〔原子習慣 VS 心態〕

**拒絕拖延**

利用番茄鐘工作法，可以讓時間視覺化，有效改善孩子的拖延情況，迅速做完功課。

我們在成人身上也看到很多事情會拖延，這是人性。同樣的，我們的孩子也學會拖延，因為就是從我們身上學習到的。是的，請不用懷疑。

我很喜歡看TED的影片學習新知，有一位分享者叫做提姆．厄本（Tim Urban），他在「拖延大師的腦子在想什麼」的演講中提到一個觀念：「不拖延的人根本不存在！」他認為所有人多多少少都有拖延症，只是情況嚴重程度大不相同，也就會造成不同程度的困擾。

我記得看到時，心裡的緊繃心情與罪惡感忽然消失，原來我並不孤單。過往拖延時也會經常責備自己，因為我覺得「Commitment is commitment.」，答應別人的就一定要做到，沒有做到就會有深深的罪惡感，但現在想起來好像不必要，就像我們要學習跟 COVID-19 共存一樣，也要學習跟拖延症共存，我們不可能消滅拖延症，但可以有效減少拖延症對我們的影響與衝擊。

## 拖延症對孩子的衝擊影響

透過觀察孩子的生活情況，我發現他們經常有拖延的情況，像是明明可以在三十分鐘之內寫完的作業，卻寫了兩天；明明上學要遲到了，卻還在東摸西摸，有時看到孩子如此「散仙」的狀態，真的會忍不住發脾氣。只是發完脾氣後，愕然發現孩子連時鐘都很少看，表示時間觀念還在建立中，雖然看著時針分針能說出時刻，但時間的意義對孩子來說仍不太明朗。因此，我們只讓孩子記得一天當中幾個重要時間，如到校時間、上課、午餐、午睡、下午茶、看電視、洗澡、睡覺，先養成孩子照表操課的習慣就好。

其實，孩子「及時行樂」的情況跟認知發展有關，從認知心理學角度來看，通常小學孩子在「運籌前期」跟「具體運籌期」的歷程中，位於「運籌前期」的孩子記憶力變強，學會使用分類法來記住不同的圖畫，但是只能注意事物的一個特點，只能看到具體的事物，能夠注意事物靜止的一面，看不到其轉變或者內在的聯繫；之後進入「具體運籌期」的孩子，開始學會用概念思維來認知事物，並學習邏輯運籌，例如孩子開始學習加減法、給物體分類時可以看到功能、方位的關係；較大的孩子能夠根據事物特點分類。此階段最大的特點是孩子開始了解「永恆」法則，例如物體數量與體積的關係，一斤蘋果和一斤鐵一樣重，知道「部分」比「整體」小。而大於九歲的孩子開始理解事物，懂得不同情況下分類不同，例如知道一個人有不同身分等等。

而孩子對於時間的學習仍是「當下」為主，所以家長講半天孩子都不聽，孩子只覺得「自己有在動作呀，晚五分鐘睡覺而已，為什麼爸媽要這麼氣急敗壞呢？」或者「明明大人也經常自己拖延，為什麼要責怪我？」有一次我聽女兒這樣抱怨，就好奇問她：「爸比什麼時候拖延了？」她就說：「爸比很喜歡說『等一下』！」我覺察自己的確有時候會講「等一下」這句話，有時在處理其他正事，真的沒有空時，就會很直覺講「等一下」，但是孩子不知道事情的全貌，就可能有樣學樣開始說「等一下」。

孩子是父母的一面鏡子，基本上孩子的行為反映出爸媽的行為模式。因此，我開始努力調整改變自己，遇到什麼事，少講「等一下」，多講「馬上做」！這樣就比較不會拖延，因為，踐行是檢驗真理唯一方法，行動可以讓我們趕緊把事情處理掉，並且更加靠近目標。所以，如果各位家長、老師可以的話，先以身作則，孩子也都一定會看在眼裡並學習的。

此外，我覺得**消除拖延症的最好做法是「面對」**，當孩子遇到拖延議題時，我就會在孩子身旁觀察並討論哪裡可能出現問題，像是我觀察到孩子寫作業時每個生字都很像用刻的方式寫，然後手指頭用非常大力氣按壓筆，難怪寫不快，因此就重新帶孩子學習正確的握筆姿勢，不用如此大力刻字，而是能夠輕鬆寫字，孩子寫作業的速度就加快非常多，孩子也覺得這樣寫字相對輕鬆。所以家長可以先觀察孩子遇到難題的情況，然後運用豐沛的人生經驗協助孩子一起解決。

## 用番茄鐘工作法讓孩子專心

我發現孩子無法長時間專注，那乾脆就訓練孩子短時間的專注力，我問孩子：「我們現在好好做功課，你覺得這個功課需要多少時間完成呢？」通常孩子會說三十分鐘就可以完成了，但實際上往往都要一個小時，那是因為孩子在過程中很容易分心，於是，我就想起了番茄鐘工作法！

番茄鐘工作法是由法蘭西斯科．西里洛（Francesco Cirillo）在一九八〇年代所發明，因為他讀書時也很難專心，一直感到很苦惱，偶然間到廚房裡拿了一個「番茄形狀的料理定時器」，他想著就用這個計時器來念書吧，「在計時的過程當中，不要想其他的事情，只有一個簡單的目標，把考試的一個段落章節讀完」。沒想到他居然順利完成了，不但消除了自己內心的焦慮感，並且讓自己進入類似「心流」狀態，非常專注在研讀考試內容，後來也取得好的成績。

那番茄鐘工作法要怎麼操作？番茄鐘工作法的基本操作概念是工作二十五分鐘的時間，然後短休息五分鐘的時間，這樣是一個組合，稱為一顆番茄。這樣的組合進行幾個回合，之後出現一個長休息，長休息時間在十五分鐘到三十分鐘不等。若時間不長，就專心完成一個番茄。如果有比較完整的時間，就一次完成三到四個番茄，都是很棒的推展。

我覺得對孩子寫作業而言，大概就兩個番茄就足夠了，我也會把時間調整成數字倒數，讓孩子比較容易知道現在還剩多少時間，如果可以在時間內高品質完成作業，孩子就會得到額外的獎勵。而且在有限的時間當中寫作業，孩子也相對能夠專心。番茄鐘工作法最棒的一點，就是可以在二十五分鐘的時間內，讓人完全專注當下任務中，而不管其他事情，讓人保持能專注狀態是番茄鐘工作法的真諦。番茄鐘工作法之所以有效用，主要是因為使用的人心裡想著「就先做

『二十五分鐘』好了」，讓自己沒有一定要把所有事情完成的壓力，反而可以輕鬆開始進行並有所進展。

過往孩子都因為時間太過充裕而用比較輕鬆的方式準備，反而會容易鬆懈而造成精神不集中，也很容易讓拖延症上身，進而損失寶貴的時間，所以請從少講「等一下」，多講「馬上做」以及「番茄鐘工作法」開始培養孩子的積極性吧！

**老師的心內話**

訂定目標有一個很重要的標準，那就是要讓孩子知道目標對自己有什麼樣的意義與重要性，若孩子覺得目標跟他無關，那麼也就不會激發出孩子對達成目標的渴望，孩子就不會為此付出時間，更別說更強程度的拚搏了。此外，如果能讓孩子自己設定目標，因為目標是自己設定的，會對此更有參與感，也就相對會自動自發要去完成！

# 16 預習是最值得投資時間的學習項目

〔原子習慣VS筆記〕

**預習時要畫重點、寫筆記**

預習要有效果，依照五步驟，拆分後照表操課，只要持之以恆就有效果。

很多人爭論「花時間預習值得嗎？」以及「預習重要還是複習重要？」我看到有各種見解出現，每種想法都很好，因為大家過去也曾被自己相信的做法給救贖，所以一定都有功效，但也要有這樣的認知：不是所有方法可以適合所有的人。

在此我只能根據國外文獻與學習方法論，整理出對大多數人相對有效的學習方式，提供給大家參考。

## 預習的優點

首先，我們來談談「花時間預習值得嗎？」當然，預習是最值得投資的時間。預習看起來好像增加了學習的時間，但事實上減少了上課聽不懂的狀況，與課後找答案的時間，而這些往往是最浪費學習精力，並使效率變差的主因。

我過往也經常協助好友、前輩的小孩制定學習策略，有一位媽媽在孩子上完課後，傳訊息感謝我並給我這樣的回饋，「妹妹說，因為她有預習，所以會更容易吸收老師講的概要，也會注意到原來有些自己沒有意識到的重點，上完課她就會有很多的新收穫。妹妹覺得如果沒預習的話，聽不懂是正常的，而且就會一路不懂下去。所以，她後來都會要求自己要有預習的習慣。」

**要知道孩子專注力是有限的，但是良好習慣卻可以讓孩子學習更有效率。重點就在於接觸學習素材的頻率，也就是預習跟複習。**

複習的部分，由於每天課後作業都相對清楚易懂，要寫哪些篇章、檢查標準等等都有清楚明確規範，讓家長比較好依循；但提到預習，相信很多家長都一個頭兩個大，因為實在不知道怎麼協助孩子才是比較好的方式，通常老師也沒有明確要求到底要孩子做到什麼程度才足夠。

就我的經驗來說，其實很多老師真的不知道方法，只是靠著過往讀書經驗跟孩子分享，有點籠統模糊，當孩子處於似懂非懂的狀態時，也不要責怪為什麼孩子不預習了，因為可能從來沒有人教過他們，而且每個人的標準都不一樣，孩子很難分辨這些細微差異的不同，有時孩子還會抗議「老師不是這樣教的」、「你都亂教」之類的話語，結果不但可能造成親子關係的緊張，或許還會造成老師跟家長之間的關係緊張也說不定。

## 預先學習的必要性

那為什麼要做預先學習呢？可分為兩個面向來談：

### 一、學校課程時間不足

主要是因為課程時間實在有限，而且孩子要兼顧很多科目；老師們也努力變換各種教學手法，讓孩子在課堂上能夠有效吸收，只是某程度也還是填鴨教育；這是因為孩子沒有主動追求知識的渴望，也就是說，如果老師不給予相關強度的知識，孩子們很容易就偷懶不學習。因此，利用預習來養成孩子主動去探索未知事物的習慣非常重要。

## 二、授課老師的價值

對於小學階段的孩子，身為老師跟家長會期待的是如何做好生活起居習慣養成、基礎知識的建立。小學念的課程內容大部分都是建構在幾百年來不變的知識，像是阿拉伯數字、加減乘除、國字生字生詞。這些存在已久的傳統知識，其實google都能夠找到，那為何還要去學校呢？主要是在家孩子也不會學習，或者說無法系統化學習，但是在這個社會上立足跟運作，還是需要有基本的知識概念，才能夠行走與溝通無礙。

所以授課老師的價值，不能只是傳遞知識，更重要的是成為孩子的解惑明燈與榜樣，韓愈在〈師說〉裡說道：「師者，所以傳道、授業、解惑也。」老師也不只是教書匠而已！因此，孩子應該先預習了解課程，然後利用上課時間與老師多溝通、多提問，這樣才能充分發揮老師的價值。

## 如何進行有效預習

我曾到學校的教師研習營跟老師們分享如何有效學習，當時我就請教在場老師：「各位老師，您會建議孩子在課前、課中、課後做些什麼呢？」大部分老師都能瞬間回答我上課前預習，上課中專心，上課後複習等類似的答案，雖不中亦不遠矣。

可是當我再追問下一個問題：「請教各位老師，我們預習應該要讀哪些內容呢？」突然發現老師們開始陷入沉思，然後開始轉頭看看有沒有「勇者」老師可以發表他的見解。我察覺到這件事，就請各位老師拿出一張便利貼，然後把他認為預習要讀的內容寫下來，結果我發現答案非常豐富，例如閱讀標題、閱讀大綱、閱讀圖表、閱讀圖示等等。

我看過很多人預習只是把課本拿起來快速翻閱過去而已，然後老師問說有沒有預習時，只能心驚膽顫地舉手，然後心裡祈禱著「拜託拜託，千萬不要叫到我」。如果沒有被叫到，就會覺得今天運氣太好，沒有預習還順利過關；如果今天剛好被叫到，就會覺得今天運氣很差，但都沒有反省到自己為什麼預習無效果，這是很可惜的一件事。

老師、家長、孩子都知道預習很重要，但卻不知道如何做以及要做到什麼程度才好。因此接下來我把自己多年讀書考試與作為培訓師這十多年經驗整合，提出有效預習的系統步驟操作方式。

預習要有效果，最重要的就是「畫重點＋寫筆記」。為了讓大家更有效地確實執行，我拆解成五步驟方便大家依循。

### • 步驟一：打開課本邊讀邊畫重點

首先就是翻開明天要念的那個單元篇章，從頭到尾把課本內容念過一次，這時可以一邊讀一邊畫重點。

### • 步驟二：要重讀一遍，確認沒有重點遺漏

當步驟一畫重點這件事完成之後，很多人預習就到此為止，但這些重點真的是全部重點嗎？如果無法百分百篤定，就不該放過。因為預習不是做給別人看的假動作，而是做給自己看的真功夫，所以我會建議要重新把剛剛的內容做地毯式地搜索，確認所有重點都有畫到而沒有遺漏。

根據我的觀察，步驟二很少有人能夠做到，但學霸們都會做完。因為一開始就把這篇章所有重點都直接抓出來，之後複習時就不用擔心有重點遺漏，就能夠萬無一失。

## ●步驟三：做筆記

基本上，我們做完步驟一與步驟二，就掌握住百分之九十以上的重點，這時候再寫成筆記，就會是精華中的精華。

## ●步驟四：筆記蓋起來用自己的話說一次

當你筆記做完之後，並不代表預習結束了。你看到這邊一定會很驚訝，都已經做到「畫重點＋寫筆記」了，還不夠嗎？對！還不夠。

因為我曾經體驗過老師上課太無聊，一直寫板書，而我在臺下抄筆記抄到睡著，醒來之後發現自己都看不懂自己寫的筆記，反而像是一堆鬼畫符，這樣的筆記抄再多也沒有用。所以，為了避免自己猛抄筆記卻沒有思考了解內容，建議把筆記蓋起來，然後回想剛剛讀了什麼內容，並用「自己的話」說出來。

## ●步驟五：把不熟悉和搞不懂的內容做記號標注，上課時舉手提問

在不熟或不懂的地方做記號，隔天就不怕忘記，並可以立刻找到哪些地方要發問。我曾經有過經驗，沒有做記號，而把問題放在心裡，結果上課時明明知道有問題，卻一時之間找不到問題在哪裡，浪費許多時間，也讓老師與同學等待，我覺得非常不好意思，所以後來就養成把不熟悉或搞不懂的內容做記號標注，包含我是哪裡不懂都要做細部筆記標注，然後上課時提問，盡可能就在課堂中解決掉心中的疑惑，不要把疑惑帶回家。

所以如果我們預習可以做到五個步驟，這就是紮實預習要做到的程度。就我所知學霸們預習不會只是將內容看過一遍，因為那頂多做到步驟一而已，學霸們會把五個步驟全部都完整確實做到，這才是學霸們的預習，這也是學霸們不會透露的祕密。或者說學霸們也覺得這不是祕密，甚至可能覺得「大多數人應該都這樣念書吧」。別認為學霸們很跩，因為他們已經養成這樣好習慣已久，如同呼吸一般自然，所以他們覺得這樣做是理所當然的事情。

所以，如果你有確實做到上述步驟一到步驟五的預習，相信我，你的預習就會非常到位，而且你會發現，你的學習會逐漸更有效率。

**老師的心內話**

孩子剛開始學習抓重點，一定會有所遺漏，家長們不要太過焦慮與太過嚴格。畢竟，人有失足，馬有亂蹄。

這時候千萬不要責備孩子沒有把重點全部都抓出來，而是透過對話方式，讓孩子先做步驟四用自己的話說一次，或是透過問答的方式來確認孩子是否真正了解預習內容，如果孩子沒有正確回答，可以找一張空白紙讓孩子記錄，這樣也可以協助孩子整理這篇中不求甚解或不熟悉的內容，然後請孩子重新讀一次，並把相關重點重新畫起來。

# 建立自主學習的習慣，從培養興趣開始

〔原子習慣VS心態〕

**嘗試自己去探索與學習**

興趣可促成自主學習，但要找到真正一生的愛好，才能讓生命更豐滿。

上一章提到預習的優點，事實上課前預習還可以延伸出自主學習的習慣，因為有效正確的預習不是一個「形式」，不是為了應付給別人看才做的，預習是為自己所做，而課前預習是養成自主學習習慣最好的鍛鍊，不僅是為了「先熟悉上課內容，然後找出不明白的地方」的表層意義，更深層的內涵是「你願意『主動』找尋相關資料來研究，而非只是被動地接受填鴨式教學」。

當孩子願意預習時，就會發現孩子不再是被逼著讀書，而是自發性學習，也比較能清楚思考自己是否已經了解知識內容，可以把重要內容分類整理，也確認對該內容的掌握程度，如果掌握程度不夠好，也會進一步去思考如何有效改善。

若是孩子從小養成主動積極的心態跟行為模式，鍛鍊自己在未知的領域思考，持續將這樣的好習慣帶到職場上，抱持「好奇心」往更深的內容去思考，進而「do something more」或是有不同的展開，將是因應未來職場並脫穎而出的重要習慣，相信一定會有成功的人生。

## 以興趣發展自主學習的習慣

身為家長，總會擔心孩子專注力問題，畢竟現在 3C 產品如此多，我們自己都離不開手機，又怎麼能責備孩子離不開 3C，然而從網路上吸收的都是碎片化的知識，孩子很容易習慣被餵養，久而久之就忘了自己有能力可以主動學習。該如何讓孩子能夠主動學習，身為家長的我也傷腦筋，苦思該怎麼做能讓孩子在一件事情上持之以恆，然後向下扎根，後來發現可以從養成孩子興趣著手。

說到興趣養成，我看過不少家長都會想讓孩子去學樂器、學書法、學畫畫、學直排輪、學樂高等等，幾乎把小孩空閒時間占滿，望子成龍、望女成鳳，都希望孩子不要輸在起跑點上，這種殷切期望很多時候是一種補償心態，特別是對自己小時候未能學習的補償心態，但孩子可能在還離終點很遠的中繼點，就拋棄並葬送了興趣。

為什麼會如此？

通常是因為家長希望孩子快速學會，就送去短期補習班，希望透過經驗豐富的老師指導，可以讓孩子減少走錯路的機會，但孩子的習慣還不穩固，因此需要透過刻意與大量練習來培養孩子定性，進而達到熟能生巧的境界，取得更好的成績；但沒想到對孩子而言，規範出來的作業不是樂趣，而是壓力負擔，剛開始孩子可能會願意操作，但後來可能覺得只是形式而無趣，但卻又被逼著做，最後打從心底厭惡，然後逃避，最後這項興趣當然就不了了之，實在可惜。

請師長這樣做

## 養成興趣的正確方式

為了讓孩子能夠真正的培養出興趣與才藝，家長除了要有正確的心態外，也要全力引導與支持孩子真正的興趣，建議家長可以從以下幾個部分著手。

・調整家長對於「興趣」的認知

關鍵是要先調整家長對於「才藝興趣」的認知，學習才藝應該是培養孩子抒發心情與紓壓管道，而不是培養孩子專注競賽與升學管道。

・多給予孩子正面具體的肯定與鼓勵

像我女兒五歲半時很喜歡畫圖，我們就鼓勵女兒多創作，當她想畫畫時，我提供她所需要的紙跟筆，讓她隨時都能畫；外出時也讓她帶著紙筆一起出門，然後鼓勵她把體驗到的內容都畫出來，只要女兒畫出來，我都會大大讚賞，且具體描述她哪裡畫得很棒。孩子很清楚大人是敷衍稱讚、還是認真對待，當我們認真對待孩子，孩子會感受到爸爸很認真陪伴我、很在乎我的安定感，而且女兒也在畫畫裡得到樂趣與成就感，之後就更熱中於畫畫。

## ‧引導孩子嘗試做得更好

看女兒的作品時，我除了稱讚外，還會給予引導。例如女兒畫小美人魚，我就會問她說：「我覺得妳畫得很棒！妳再看看這張圖還有什麼細節沒畫上去的呢？」孩子被提醒後，就會重新觀察剛剛被指點的部分，然後發現一些新的細節，接著我會請女兒跟我分享新的發現，如果她說得出來，就會獲得我的稱讚；若沒看到的話，就再帶著她觀察，然後用筆在旁邊示範一遍給她看，之後鼓勵女兒把這些細節補畫出來。比較忙碌時，就會讓女兒自己翻閱學習插圖的書籍，然後把喜歡的圖案畫下來，久而久之，女兒就養成了主動搜尋資料跟觀察細節的習慣。

幾次練習後，發現她的觀察力大幅提升，連學校老師都稱讚女兒在繪畫上很有天分，細節層次都觀察得很仔細。我們沒有送女兒去畫畫班，因為我覺得太早送去畫畫班，想像力容易被侷限，筆觸雖變得成熟，但畫圖的趣味卻被剝奪，畢竟我期待的是孩子能長時間保有這樣的興趣。

## 家長需以身作則

我曾經在一次演講場合中請教在座家長們一個問題：「小時候有學過才藝的請舉手！」放眼望去接近七成比例家長舉手。接下來我問了第二個問題：「目前仍持續這項才藝興趣的請舉手！」看到大部分舉手的家長手都放下了……

我們可能有很多的理由來說服自己無法持續發展自己的才藝興趣，但若希望孩子能成功培養興趣，家長或許需要「以身作則」，成為孩子最好的學習典範。因此，我今年也要重拾烘焙這項才藝，當我們自己豐盛了，孩子也會因我們的生命豐盛而綻放光芒。今年您有沒有想重新找回些什麼才藝或興趣呢？

老師的心內話

現在不是要繼續培養腦中有很多知識的工匠，現代資訊如此發達，只要連上網路，很多資訊與答案都可以取得，因此知道如何主動找尋答案，鍛鍊自己在未知的領域思考，我覺得是因應未來職場並脫穎而出非常重要的習慣養成。

18

# 彙整有效筆記，從三個訣竅著手

〔原子習慣 VS 學習筆記〕

**用最簡單的方式寫筆記**

好的筆記要能重複利用，幫助提升學習效率，藉著寫筆記也可以學到整理重點的方法喔。

目前大部分學校老師教學還是黑板書寫為主，而孩子則以紙筆抄寫重點，因此筆記能力就變得很重要。

在我過往讀書與教學經驗中，發現自己筆記做得還不錯，經常得到老師很高的評價跟評分，被公開稱讚也覺得很開心，自然持續拚命做筆記，但是該科目的成績並沒有太多起色，我常納悶「為什麼我花這麼多時間做筆記，筆記也被大家稱讚，但是我卻考不好呢？」

## 筆記不是精美完整就好

後來請教老師之後，才愕然發現我的筆記方向錯了。一份能幫助成績提升的好筆記，重點不是做得超精美，而是能不能幫助我們歸納重點並且有效記憶。如果要比精美，那買參考書就好，手工做的筆記絕對比不上打字印刷的參考書，為何要花這麼多時間做筆記呢？這是無庸置疑的親身體驗。請各位家長、老師，務必要協助孩子破除「筆記精美就是好」這樣的迷思。

此外，也觀察到很多孩子寫筆記的方式宛如一臺影印機，把老師在黑板上所寫的內容一字不漏地寫進筆記，老師講到哪裡就筆記到哪裡，厲害一點的同學還會規劃版面，並以不同色筆書寫分類重點，做筆記的過程宛如一場秀一樣精采。但我想跟大家說明這樣的筆記絕對稱不上是好，因為抄寫過程中孩子多半沒有思考，而是抱持「先抄下來再說」的心態，而且這麼做其實是很消耗能量，因為不知道在抄寫什麼，因此寫完筆記，還要另外花時間重新理解當時寫的內容。

而且現在科技這麼發達，有「雅婷逐字稿」這類軟體，只要開啟就可以全程錄音與轉換逐字稿；而手機可以照相，一秒鐘可拍一張照片，老師寫的內容都在一張照片中，所以逐字抄寫絕對不是筆記該有的樣貌，因為老師講的話並不是每一句都是重點，孩子必須聽懂後自行歸納整理，再寫入筆記。

而且不要忘了筆記是給自己看的，不是給別人看的。只要自己看得懂，然後考試時可以幫到自己，就是好筆記了。因此，師長們需要協助孩子克制「美化筆記」的衝動，不是用多種顏色書寫就比較厲害，因為挑選顏色也是需要花費腦力跟時間，如果時間精力都在此被消耗掉，哪還有時間做其他事情呢？

## 彙整有效筆記的訣竅

### • 訣竅一：全部都是重點等於沒有重點，要抓住關鍵字

我看過有孩子寫筆記是把課本重新抄寫一次，這樣做真的是耗時費力，沒效率也沒意義，不如把這些時間跟精力拿來把課本多讀幾次，將關鍵重點找出來，

然後寫到筆記裡面就好，因為筆記的主要功能就是讓孩子學習重點摘要與整理，透過主動思考將精華提取出來。

就我的觀察，筆記抓不到重點的孩子，通常讀書考試也抓不到重點，所以讓孩子能夠把重點找出來是做筆記前一定要做的動作。因為如果沒有經過抓重點的歷程，筆記寫下來的重點可能會有所偏頗，反而事倍功半。

## ● 訣竅二：格式要一致，不要一直變化

有的孩子寫筆記很「隨興」，有時重點用紅色書寫、有時重點用藍色書寫，當看筆記時，經常還要判斷顏色代表的意思，這樣用太多種顏色標示，也會讓孩子在讀書時不斷分心，干擾學習。

坊間有很多筆記法，家長、老師帶領孩子學習一種筆記方式就好，討論好確認顏色的使用，就可以持續進行了。因為格式一致，所以書寫起來有效率，因為格式一致就很清楚知道哪裡是重點，才能達到縮短複習時間的功效。

## 訣竅三：可以用縮寫、數學符號加以呈現

我們也可以用關鍵字來呈現重要內容，譬如說我寫 $CO_2$ 短短三個字就代表二氧化碳，而也可以用短短的符號取代一些很長的文字，所以我們可以把數學裡面公式、符號都應用到自己的筆記當中，這樣都能提高書寫效率，請記得「筆記是給自己看的，不是給別人看的」。

如果孩子能遵守這幾個原則，讓寫筆記變得更輕鬆簡單，相信孩子就比較不會抗拒書寫筆記，而能夠透過筆記更有效地學習。

## 康乃爾筆記法

花了時間與精神寫了筆記，要能發揮最大的功效，讓我們在複習時可以大幅度縮短時間，並有效複習，就需要一個好用又容易看得懂的形式。在此我想介紹康乃爾筆記法。這是由美國康乃爾大學（Cornell University）教授華特．波克（Walter Pauk）在一九四〇年代所發展筆記技巧，由於架構清楚，能幫助學生在

課堂、演講、閱讀等不同場合有效記錄重點資訊，廣為康乃爾大學學生使用，因此稱為「康乃爾筆記法」。

康乃爾筆記法將頁面區分成三區塊，分別是筆記區、整理區、摘要區。這三者需要的位置大小並沒有嚴格限制，但通常因為筆記區要寫的內容比較多，建議留多一點的空間。三區塊的書寫內容與功能均不同，在此簡單說明如下：

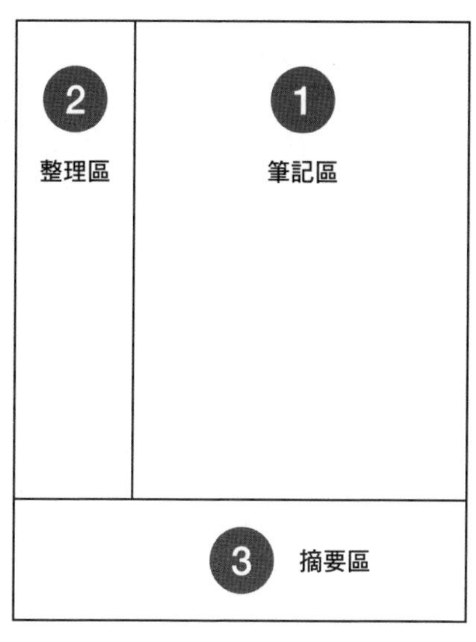

圖表 18-1：康乃爾筆記法的頁面規劃。

## 一、筆記區的使用方式

孩子可以把課程中聽到的、看到的重點內容快速寫入「筆記區」，像是關鍵事件、字詞的定義及數據等。甚至可以在預習的時候就先把自己抓的重點內容寫在筆記區上，然後可以留下一些空白區塊，上課時再把老師講的重點內容補充進去，如此就大致能確保把重點都寫在筆記區了。

檢討題目時，也可以將做錯的題目抄在便利貼上，然後貼在同樣範圍的筆記區右側，這樣在複習時，可以提醒自己之前做錯的題目，就會更加專心強化研讀該篇章的內容。

## 二、整理區的使用方式

整理區主要是把這段筆記的重點用關鍵字或短標題寫出來，這樣有助於幫助我們快速消化筆記內容，像是目錄的概念。所以當之後要複習時，就會先在整理區找關鍵字，可以大幅節省時間。

## 三、摘要區的使用方式

最後以自己的話把這部分的總結歸納寫在摘要區，摘要區代表自己消化理解後的內容，將自己的觀點寫出來。在現代社會中不缺資訊，但是個人觀點卻一直很稀缺，個人觀點代表獨立思考的能力。摘要區若能夠用簡單的文字就言之有物，基本上就表示掌握該篇章的重點內容了，複習起來也會更加得心應手。

孩子在學校學習不同的科目，但若能有一套筆記方式可以應對所有需要，應該能事半功倍，若還沒有自己做筆記的方法，不妨試試簡單好用的康乃爾筆記法。（請搭配使用附贈手冊中的表單，陪伴孩子一同練習。）

**老師的心內話**

若上課時遇到很用心的老師協助整理資訊，幫助孩子抓重點記筆記，看起來是很好，但好像某種程度也剝奪了孩子學習抓重點的機會；因為如果遇到不協助孩子整理資訊的老師，那是否孩子就無法自己寫筆記了呢？這一點我們似乎也是要多加注意。

# 學習要進階，細節得注意

考前準備 | 習慣 | 學習策略
心態 | 成為讀書高手 | 學習筆記
人性 | 運氣 | 記憶

在此章節我們全面涉獵九宮格的各個區域，包括「記憶」、「學習筆記」、「運氣」、「人性」、「考前準備」中的原子習慣，但內容更深化。

在師長的陪伴下，可以進一步協助孩子注意更多學習細節，如提問、彙整重點、檢討等，當理解並利用各種理論與專業的方法後，除可更全面引導孩子成為一個讀書學習的高手，更能幫助孩子建立未來人生都受用的基礎與習慣。

19

# 筆記進階班，摘要與彙總問題的方法

〔原子習慣 VS 學習筆記〕

**有問題就提問**

提問，是思考的出發點，一問一答間就能找出重點，並產生更好的學習效果。

家長可能會發現孩子有這樣的情況：看書的時間也沒少過，作業也有寫，為什麼基礎內容好像記不住呢？

這是因為只規定了孩子的讀書「時間」，但孩子可能只是坐在書桌前面發呆，很有可能沒有讀進去。所以，家長要引導孩子多思考，「提問」則是非常好的引導工具，藉由問答可以確認孩子到底了解多少，然後協助孩子打好摘要與彙總資料的基礎。

## 提問與思考相輔相成

在培訓產業中，除了像我一樣的培訓師之外，還有一群非常厲害的引導師，引導師超會問問題，一個問得好的問題，能讓在座夥伴深入思考，並有很棒的產出。因此，坊間才會有「問一個爛問題，得到一個爛答案」的說法，可見提問力有多重要。

提問，是思考的出發點。我一直很佩服學校老師為了讓學生更好掌握知識、理解課本內容，會費心在講課之間穿插提問，除了讓課程節奏更加順暢之外，也為了讓孩子可以學習思考，如果孩子自己思考後，然後才給出答案，學習效果會更加驚人。

而且當孩子習慣這樣思考之後，在未來學習時也會對自己提出問題，思索到底哪裡看不懂，有助孩子養成「問題意識」，提早學習問題分析解決能力，畢竟人生不就是不斷發現問題、解決問題的歷程。

沒有人厲害到天生就知道所有的事情，就像我認識很多天才朋友一樣，他們也不是出生就這麼厲害，而是非常擅長使用提問，會主動對自己提出問題，並在提問過程中從自己已熟悉的既有知識中來拓展新知。簡單來說，就是從已知到未知、從簡單到複雜、從具體到抽象。

## 利用提問，整理出更有效的筆記

孩子在小學階段就是充滿好奇心的年紀，何不多加善用孩子旺盛的好奇心呢？讓他們多加發問。之前提到寫筆記（請見〈18.彙整有效筆記，從三個訣竅著手〉），我們讓孩子寫筆記，是希望他們學習做摘要整理，彙整出重要的資訊，而提問正可以提升筆記的功效。要怎麼做呢？我覺得可以在寫筆記的前後問問以下的問題：

- 這篇章的基本觀念是什麼？
- 這篇章重點在講些什麼？
- 這篇章有什麼轉折呢？後來又發生什麼事？

- 這篇章的結論是什麼？
- 我從這篇章學習到什麼？
- 看完後，我會有什麼樣的行動？

孩子寫筆記有時候會呈現「有手無心」的狀態，只是把老師所講的內容一字不漏寫下來，但是孩子並沒有把內容重新梳理成自己相對好理解的內容，而是「死記硬背」，這樣的筆記依然是達不到效果。

透過提問，可以幫助孩子整理淬鍊大量資訊，進而把重點內容從短期記憶轉換為長期記憶，所以到後期只要有相關重點的提示，孩子就能夠快速回憶起內容。當我們知道提問對孩子有這麼多好處之後，當然希望孩子可以自動自發、自問自答，但世界上哪有這麼棒的期待會發生呢？

這樣的期待往往是一種奢望，所以退而求其次，先由家長與老師擔任提問者，做有系統的提問，讓孩子在吸收新知時，有相對應的結構可以依循。家長若不知該如何提問，可以參考ORID與4F的結構。

## ORID焦點討論法

ORID是很多引導師廣泛使用的方法，一直以來都有不同的名稱，有人稱引導式討論（Guided Conversation），也有人稱基礎討論方法（Basic Conversation Method）或是意識會談法，本文則以廣泛被使用的焦點討論法（Focused Conversation）稱之。那ORID到底包含了哪些內容？

- **Objective（具體的事實）：做了哪些事情、看到與觀察哪些事情**

這個層次的提問可以問問孩子：「你看見什麼？」、「發生了什麼事？」、「這篇章在講些什麼？」、「這篇章的基本觀念是？」、「這篇章的重點是？」、「這篇章有什麼轉折？」、「後來又發生什麼事？」、「這篇章的結論是？」這些都是家長、老師可以提問給孩子的一些問題。

這階段重點在於讓孩子描述看見事情的發生經過，屬於客觀事實的陳述，讓孩子盡量可以完整描述事情經過，而不只是片段的關鍵字而已。當孩子只是講片段關鍵字時，家長、老師可以多鼓勵、多引導他多講一點，這樣也能從孩子的回應中掌握孩子對於內容的了解多寡。

- **Reflective（感受與反應）：在當下感受、反應與印象深刻內容**

當我們確認孩子都能夠清楚描述重點後，接下來可以引導孩子開始把感覺、感受講出來。例如向孩子提問：「假設你是其中一個角色，那麼你有什麼感受呢？」盡量引導孩子多說一點。

- **Interpretive（事後詮釋與分析）：試著解釋與分析事實與自己感受**

其實家長、老師能夠帶領孩子完成O、R兩個階段就已經很棒了，如果希望更好的話，可以從I這個階段往下展開，這段是要讓孩子透過前面O、R兩個階段了解素材之後，可歸納總結出自己的想法、感受與學習心得。

我們可以向孩子簡單提問：「你學到些什麼呢？」讓孩子多多發揮想像力去回答，或許會出現很有意思的觀點。

- **Decisional（訂定目標與下一步）：找出接下來可應用、執行改善處**

在此家長可以向孩子提問：「如果在生活中遇到這樣的事，你接下來要做什麼？」例如當繪本裡提到主角不要生氣，我就會問孩子：「當弟弟捉弄你時，你要怎麼做比較好呢？有沒有生氣以外的方式可以展現呢？」然後引導孩子做出整體結論與後續行動。這就是一個挺完整的ORID學習歷程。

## 4F提問法

4F提問法是學者很常使用的提問結構，也是英國學者羅貴榮（Roger Greenaway）「動態回顧循環（The Active Reviewing Cycle）」的引導技巧，是一種

「引導反思」的理論。後來歸納出 4F 的提問重點，說明如下。

- **Facts（事實）**
  - 著重在客觀事實描述，簡單說就是問人事時地物，像是：
    - ◎這故事有幾個角色？
    - ◎這段旅程有發生哪些事？有什麼衝擊？（請依照時間順序說出來）
    - ◎印象最深刻的是哪件事？
    - ◎轉捩點是何時？發生什麼事？
    - ◎又有哪些人物登場？
  - 結果是什麼？
  - 對故事主角／配角產生什麼影響？

**● Feeling（感受）**

- 你有什麼感受？
- 為什麼你會有這些感受呢？
- 為什麼他要這樣說？
- 你覺得他為何有這樣的反應？
- 什麼讓你感覺沮喪或鼓舞？

**● Finding（發現）**

- 你從這些內容中歸納出什麼重點？
- 為什麼？重要之處在哪裡呢？
- 你在過程中學到些什麼呢？
- 為什麼有這樣的結果呢？
- 歷程中你發現什麼呢？

**• Future（未來）**

- 未來你要如何應用所學呢？
- 如果這件事情未來發生在你身上，你該怎麼做？
- 如果再來一次，你怎麼處理會更妥當？
- 未來我的選擇是？
- 接下來我該採取哪些行動？

家長、老師可以透過上述的兩種方法引導孩子並記錄孩子回答的內容，這樣不僅可以協助孩子了解，並用自己的話語說出重點內容，也可以讓孩子知道您有用心陪伴他成長，以促進親子關係。

老師的心內話

如果可以透過提問，讓孩子用自己的話說出來，那不就表示孩子是經過思考把所學習內容的重點口述出來，因為這些重點是自己萃取的，印象會比較深刻，自然就可以讓孩子輕鬆記住了。

# 利用檢討，有效檢視學習斷點

〔原子習慣 VS 學習筆記〕

**要確實檢討錯題**

檢討是讓自己從錯誤中學習，換取個人成長，不是把錯題修正就好。

就我觀察，小學生幾乎不會檢討考卷，往往都是考完就覺得這階段範圍結束了，但我想提早跟家長、老師、孩子說明，這不是一個好習慣，因為通常想省略檢討考卷步驟的孩子，往往是因為覺得考試是件苦差事；或是考試分數太低，不想面對，因為檢討考卷好像就是承認自己不夠好，仍需要改進調整，會進而破壞自己內心的完美自我，若孩子這樣想，有可能陷入了「定型心態」的窠臼。

而當孩子從小學畢業，通常也會把過往學習的習慣帶到國高中，當受到國高中考試的震撼教育後，才會發現在小學時期的讀書方法失靈了，開始焦慮擔心該怎麼辦？與其到時急就章，不如趁孩子還在小學時就養成好習慣，才是更經濟務實的做法。

## 導正檢討的心態

請想像一個畫面，當考卷發回時，總是幾家歡樂幾家愁，考得好的同學很開心，考得差的同學很沮喪。我認識的大多數孩子都不喜歡考試，考完試恨不得趕緊離書本遠一點，怎麼會還想看到考卷呢？知道自己考不好，心情已經夠差了，居然還要再檢討答錯的題目，這不是一種折磨嗎？因此很多孩子更是討厭檢討考卷，其實這也是我以前當學生時存有的心態，那時眼中只有成績，如果考試成績不好，就會覺得那一科是自己的弱科，雖然事前也花很多時間準備，但就是考不好，當然會很挫折，所以也不太想再看到這個科目，只想趕緊結束檢討，也因此沒有確實檢討，然後出現類似的題目時還是不斷出錯，就一直很氣自己太弱。

後來才發現氣錯了，真的不應該氣自己，原因是過往檢討方式完全錯誤，因為以前的檢討方式，只是把錯誤的題目重新看一次，然後就嘗試把題目與解法背起來，總是覺得：「框架都相同，我只要背起來後，之後考到這題時，只要變化數字，就不會再錯了！」但卻經常事與願違，下次考試還是發生類似錯誤。知名物理學家愛因斯坦曾說：「什麼叫瘋子，就是重複做同樣的事情還期待會出現不同的結果。」（Doing the same thing over and over again and expecting different results.）我這樣的行為與期待，不也是很相像嗎？

簡單來說，**測驗就是評估受試者對特定內容了解程度的工具。**考得好，代表自己對內容有相對充分地了解，也是給自己正面肯定；考不好，代表自己對內容有部分錯誤的理解，就去找出不會之處或錯誤的原因，之後予以學習、訂正，關鍵重點是「從錯誤中學習」，才可避免之後不要再犯類似的錯誤，考試之後如果能夠做到「試後做對一百分」，這才有助於透過了解知識、習得技能來換取個人成長。

有些人會對這樣的目標嗤之以鼻，認為考試成績考不好，居然還跟大家這樣說，這不是自我安慰嗎？若只用一場考試定成敗，或許沒錯；但若把目光拉遠拉大，去仔細思考，人生有很多考試、關卡都要突破，當成為職場人士後，或許考試檢定少了許多，但會有更多的考驗，這些都不止考驗知識，更是考驗專業、試煉人性……人生是一條長河，如果我們能夠持續進步，快速跟進調整，這不也是很棒的一件事嗎？若認為檢討考卷是讓自己進步最快的方式，有沒有一份興奮的感覺呢？

## 試後檢討要確實才能進步

檢討考卷並不是修正做錯的答案就結束，那只是基本步驟「而已」，會講而已，是因為要再次強調，很多人在完成這個步驟後，就很天真地以為已經檢討完成了；或者由於很多同學回家也不檢討訂正，老師就硬性規定大家，把做錯的題目更正重寫，起碼達到一些學習的效果。但這樣只是達到最低標準，如果人做事只是為了追求最低標準，不就像周星馳電影中所說「那活得跟鹹魚有什麼兩樣呢」。把原來做錯的題目答案修正完畢那只是最基本的功夫，接下來才是關鍵。

曾看過有些孩子做試後檢討，只是更正答案，然後就背下來，沒有重新對照基本概念，弄清楚哪裡認知有誤，這樣的試後檢討都是「白努力」，因為當題目換了名詞跟數字，依然會做錯，進步的幅度有限，所以要避免這種事倍功半的做法！

請師長這樣做

## 與孩子一起檢討考卷的步驟

### 步驟一、先帶著孩子看考卷上做錯的題目，把做錯題目重新檢討並訂正

小學生的考卷通常會有兩種指標，答對會打勾，答錯用紅筆把有疑問的答案圈起

來，甚至有些老師會在旁邊寫下哪些要特別注意的提點，建議可以先從做錯的題目開始訂正。

其實做錯的原因很多，但大多是粗心大意或是題目看不懂。像我家女兒就發生過這樣的事情，有次學校週考，她的數學考很低分，我想孩子平常數學分數不差，怎麼這次落差這麼大，結果陪伴孩子檢討考卷時發現，她有一整個大題都答錯，上面題目是要選出這個組合圖形有用到哪一些基本圖形（三角形、長方形等等），如果有用到的話請打勾，結果女兒是仔細細數並填寫上數字，像是有兩個三角形、零個正方形等等，當然會整個大題都錯。

面對這樣的情況，我會先肯定孩子基本觀念都答對了，只是下次務必要重新讀懂題目，才不會答非所問。畢竟，答非所問無法得分，而且明明這些題目都會，真令人感到挫折。如果是孩子沒有看清楚題目導致錯誤，我檢討完之後，就會讓孩子在此打住。

**步驟二、把課本拿出來，請孩子找出做錯題目的出處**

如果是國字的話，我會讓孩子在訂正完畢後，打開課本，找出題目在課本的哪一些範圍，例如孩子學習寫國語生字時，「個」左邊是人字旁，孩子經常會寫成「阝」，我就會帶著孩子翻開課本，找出該字，然後帶領孩子重新讀一次筆順，讓孩子重新知道「個」左邊是人字旁，而不是「阝」。

**步驟三、把錯題的範圍重新念過，導正觀念，並注記重點**

先請孩子回想一下這段課本的內容，然後說出來，如果孩子可以正確且流暢地說明內容，表示應該相對了解；如果說明內容時遲疑或一直停頓，那就應該是對於內容不太熟悉，相信錯誤的地方也多半在這些環節上。

接著我們協助孩子找出做錯的內容，並用螢光筆清楚標示，並重新釐清修正過往閱讀漏掉的知識重點與觀念。這樣做是因為在正式答題中只要有一處觀念錯誤，該題目做錯的機率就很大；或是當觀念理解不夠透澈，在一道題目上琢磨猶豫的時間過久，會影響答題速度跟考試節奏。

## 步驟四、重新做一次剛剛做錯的題目，看這次能否做對

當基本觀念理解清楚之後，讓孩子重新做一次題目，並把錯誤的歷程都擦掉，讓孩子從頭開始實際操作，畢竟很多時候，知道與做到的距離很遠，中間有一座橋可以連結，那就是練習與檢討。

## 步驟五、準備類似題目讓孩子重新練習，確保學會

就我的觀察，有些孩子會把答案背誦下來，所以找類似考題來給孩子做看看，確認是否觀念都已充分了解。如果孩子都能順利答對，基本上孩子已經掌握該篇章知識，也確保孩子「考試後一百分學會」，這樣才能真正發揮考試與檢討的意義與價值。

最後，想跟家長說的是，如果孩子確實完成這些步驟，成績卻依然沒有起色時，也請不要責怪孩子，因為最後的成績好壞，無法抹滅孩子奮鬥的過程，孩子會希望父母知道這段時間他們有努力學習，如果我們真的如此在意歷程，在孩子奮鬥的過程中，要多多鼓勵與支持孩子，讓他們知道「你並不孤單」。

當孩子做完考卷檢討之後，可能回去看課本有新的學習收穫，那要怎麼確認這些學習收穫呢？很重要的就是要做練習題。我們要讓孩子知道做練習題不是為了家長，而是為了孩子自己。如果孩子可以知道為自己負責，為了做勝算大的事情而準備，那多半便能成長為一個讓人放心託付的人。

**老師的心內話**

身為培訓師，在工作上也發現檢討很重要，這幾年講課雖有些許累積，但往前看，有許多座大山；往後看，有很多優秀人才加入。究竟該怎麼做能做得更好？請教幾個資深前輩後，發現他們都有共同的成功關鍵點，那就是會做課程回顧，也就是透過檢討並改進。試後檢討到職場上成為事後檢討，可見從小就養成回顧檢討的習慣是很重要的呢！

21

# 大腦的記憶運作，理解了就能利用

〔原子習慣VS記憶〕

**吃好睡好運動好**

大腦是記憶的關鍵，除了利用它，更要在日常生活中好好保養它。

很多人都會說：「如果能不遺忘那就太好了！」真的是如此嗎？

我去翻閱了相關研究資料，發現有種想忘都忘不了的「超憶症（Highly Superior Autobiographical Memory）」，為什麼會說是一種症狀，甚至是一種疾病，因為患超憶症的人不一定是種祝福，相反更可能是帶給他們困擾。超憶症患者可以毫不費力回想起在任何時間點做過的事情、買的車票號碼、吃的餐點、跟誰碰面講了什麼話、穿什麼衣服等，幾乎就像是攝影機一樣記錄細節。

超憶症對患者可能還會有負面影響，像是帶來焦慮或憂鬱症，這類患者在全世界的案例雖不多，但大多數的超憶症患者都覺得如果自己能有所遺忘，應該生活會更加輕鬆。所以遺忘是好事，讓我們只記得重要的事，不重要的內容就隨時間而逝，這樣或許也是一種幸福。

我不免好奇記憶是怎麼形成的呢？以及有哪些做法可以強化記憶讓我們更容易通過考試呢？經過了不少文獻閱讀，我整理了這篇文章，重點不是探究記憶形成的辯證，而是透過目前諸多研究學者的研究，梳理出一些脈絡有助於我們在日常生活中應用。

## 記憶的三階段模型

目前最為人熟知的記憶模型是兩位重量級學者理查・阿特金森（Richard Atkinson）和理查・謝弗林（Richard Shiffrin）於一九六八年提出的訊息加工模型，此模型將記憶過程分成三個階段：

**一、登錄編碼：**當我們從外界得到訊息，然後把想要記憶的內容透過重新編輯輸入大腦，接著大腦獲得編碼後的資訊並加以處理和組合的歷程。

**二、提煉儲存：**將組合整理過的資訊由海馬迴的作用得以注記。是把經過編碼的訊息，保留在記憶中的心理歷程，以備需要時提取使用。

**三、檢索提取：**將已經被儲存保留下來的記憶資訊取出，透過回想的方式提取，藉此來對外界回應，是將儲存在記憶中的訊息取出應用的心理歷程。檢索時會將編碼後儲存在記憶中的訊息，經過心理運作的解碼（decoding）過程，使之還原為編碼以前的形式，然後表現於外顯的行為。

## 容易遺忘的短期記憶

如果將記憶根據存在的時間長短來做區分，可以分成「短期記憶」與「長期記憶」。阿特金森和謝弗林並且發現位於短期記憶的訊息一般只能存在幾十秒鐘，連儲存的數量都有限制，如果沒有將這些訊息加工處理進入長期記憶區域當中，就很容易會遺忘。像是我們如果突然接到電話，要幫忙把對方電話號碼記下來，但手邊卻沒有紙筆，只好快速默念幾次記下來，若沒有立刻寫下，幾分鐘之後重新問可能就已經記不完整了，這樣的狀態就是短期記憶的特徵與展現。

一九五六年美國認知心理學家喬治・A・米勒提出著名的「7±2法則」也跟這有所關聯。米勒觀察到受測者的記憶數量大約接近「七」個數量，如果

**10 碼硬背**

0912345678

**分成 3 組記憶**

| 0912 | 345 | 678 |
|---|---|---|
| 4 碼 | 3 碼 | 3 碼 |

**不記 09**

| （09） | 1234 | 5678 |
|---|---|---|
| 忽略 | 第 1 組 | 第 2 組 |

圖表 21-1：行動電話號碼就可以用分群記憶法來記憶。

沒有經過相關記憶方法的訓練，很難突破記憶更多的數量，分群記憶也由此逐漸發展出來。舉個例子，如果現在讓大家用十秒鐘的時間，把一組行動電話十個號碼背起來，你會怎麼背呢？

沒有學過分群記憶的人可能會十個號碼硬背；但學過分群記憶的人，會將號碼分成三群組，分別為「四碼」、「三碼」、「三碼」三個群組，之後把三個群組數字記起來；甚至有人發現前面兩個數字不用記，因為行動電話開頭都是09，這樣就可以把剩下八個數字變成兩組就好，降低記憶的負擔。（見圖表21-1）

## 不斷複習可獲得長期記憶

長期記憶是指數年以上依然可以記得的長時間記憶，像是有關生存技能（看到獅子要遠離）、身體技能（騎腳踏車、游泳）等，例如人類在遠古時代外出狩獵遇到獅子，就得有提供思考判斷逃離或是戰鬥的記憶可參考，如果運氣不好，當然就無法回來了。當運氣好活著回來時，也會立即跟族人分享面對獅子的相關經驗描述，並要大家好好記得，未來其他人遇到時就能應變更快。

當我們記憶考試內容時，大腦會先將相關資訊登錄編碼並放在短期記憶的區域當中，之後經過多次複習，可以轉換到長期記憶的量變多，也就逐漸形成長期記憶。例如考試時看到某個關鍵字出現，就知道是出自哪個範圍的內容；這就表示訊息已經進入長期記憶區域。這也是幾乎每本學習讀書的著作都會提到不斷複習的原因，就是因為要把短期記憶變成長期記憶的重要關鍵。

短期記憶跟長期記憶的轉換與大腦中的「海馬迴」有關。相關研究中使用功能性核磁共振造影（fMRI，functional Magnetic Resonance Imaging）測量發現，當外在刺激進入大腦皮質編碼後，會活化海馬迴，形成短期記憶。簡單來說，短期記憶基本上是存在海馬迴中。如果海馬迴出現功能障礙，就會很容易忘記剛發生過的事，也曾有醫學期刊認為海馬迴功能障礙是一種失智症症狀。而青少年時期，海馬迴的活躍程度比一般成年人更佳，這也能夠說明為何青少年能夠記住更多事物。

之所以說明大腦記憶的運作，是想讓大家重視「人是健忘的」，因為大腦神經元若沒有持續受到刺激，大腦就會判斷這是不重要的事物，出現所謂的「突觸修剪」，也就是這部分大腦神經元之間連結漸漸減弱消除。也就是說常使用的神經元連結會發展得更好，少使用的神經元連結則不好，甚至最後萎縮死亡。

所以我們要做的就是透過「主動預習」讓孩子的大腦神經元不斷形成新的連結，然後透過「不斷複習」讓孩子剛形成還不穩定的大腦連結更加固化。

請師長這樣做

## 從生活中幫助孩子保養大腦

家長們可以從日常生活中，注意以下幾點來保養孩子的海馬迴功能。

### ・充足睡眠

很多腦科學研究都指出，充足睡眠是讓海馬迴有效恢復效能的關鍵途徑之一。過往曾有研究顯示，睡眠較多的小孩海馬迴體積比睡眠少的小孩來得大，所以年輕時養成睡眠充足習慣，來讓海馬迴變大，可降低未來（失智症等疾病）發病風險；而睡眠不足還會讓生活作息混亂，造成身體狀況不佳或記憶力降低。

### ・定期運動

多運動能夠促進腦部血液循環，提高靈敏度，是防止記憶力衰退的好方法之一。

通常專家推薦多做有氧運動，有氧運動顧名思義就是在運動過程中需要依靠氧氣代謝來燃燒脂肪、消耗熱量的運動；而在進行時，心跳需達到最大心跳率的六十五％至八十五％的區間、持續至少二十分鐘，才算是有效的有氧健身。最大心跳率簡易公式如下是「最大心跳率＝220－年齡」，以四十歲的成人而言，最大心跳率大概約每分鐘一百八十下。所以有氧運動要達到的心跳率就是一百一十七至一百五十三之間。現在很多穿戴裝置都可以測量心跳，像是Apple Watch、小米手環等等，運動時都可以監測自己的生理反應數據，然後依照身體狀況調整運動強度。而哪些是有氧運動？像是很常見的游泳、單車、慢跑等都是屬於有氧運動的範圍。

### ・補充營養

在飲食上，多攝取可以促進腦部功能的營養食物，如：

堅果類：杏仁、胡桃、南瓜子等等，都能活化腦部跟促進表現。

柑橘類：能讓腦部保持警覺。

蛋黃和大豆：膽鹼、卵磷脂能增進專注力和記憶力。

魚油：魚油能幫助預防記憶衰退。

莓果類：黑莓和藍莓等水果富含能保護腦部的抗氧化物。

香蕉：可迅速給予大腦能量補給。

黑芝麻：富含高鈣與多元不飽和脂肪酸，可舒緩大腦神經緊繃。

## 錯誤記憶

錯誤記憶就是與事實有所出入的記憶，因為即使依照前文所述的輸入方式來進行，也無法確保腦海中的記憶準確無誤，甚至可能把不存在的內容認定為已存在的事實，也就是錯誤記憶。如果希望降低錯誤記憶，就要對於自己的記憶採取「信任但仍需檢驗」的態度，要以客觀事實為根據，而非主觀情緒，而且要多方求證，就可以大幅度降低錯誤記憶的次數。

那為什麼會出現錯誤記憶呢？可能一開始看到時的理解就出錯了，之後也沒有發現，就一路錯到底，等到概念根深柢固時，才發現要更改。通常矯正要花費更多的力氣，甚至可能更加堅信原先的錯誤記憶。

因此，建議開始時就要把考試內容中的重要概念都搞清楚，這樣才能夠減少後面改善錯誤記憶所花費的力氣。我知道很多人準備考試是從教科書中整理出重點後，接著拋開教科書只讀自己整理的筆記跟參考書，基本上雖沒有錯，但還是要定期回頭重新翻閱教科書，藉此檢視基本定義是否完全理解正確，以及整理的筆記是否有所遺漏。這是很多人都會忽略掉的關鍵步驟，特別在這提醒大家。

**老師的心內話**

遺忘是正常情況，所以重點不是責備自己記憶力這麼差，而是要思考如何把記憶延續更久，且能夠順利提取出來。所以當我們想準備以輸出為主的考試時，就是對屆時能夠提取出多少記憶的考驗，當我們記得愈牢靠，提取愈迅速，自然就能夠相對篤定自己的答案正確，並可以用較短的時間作答而獲得分數。

# 用語文搭配圖像記憶，記得快又久

〔原子習慣 VS 記憶〕

**熟悉利用記憶技巧**

孩子的學習模式通常先接觸圖像，再接觸文字，在學習時給予圖像可以幫助記憶。

很多孩子在記憶書本內容上遇到最大的困難，就是想把文字一字不漏記下來，但這樣做往往效能低落；此時家長跟老師或許可以建議並協助孩子，用圖像的方式來協助記憶。

## 記憶的雙碼理論

談到圖像記憶，讓我們先認識「雙碼理論（Dual Coding Theory, DCT）」，這是由艾倫・帕維奧（Allan Paivio）於一九七一年提出的一種認知理論。帕維奧在發展該理論的過程中使用了「形成心像有助於學習」的想法，假設圖像資訊和語文資訊皆為表徵資訊的方式，人們可以透過「語文聯想」和「視覺心像」兩種方式，拓展所學的內容。

當我們從外界接收到不同類型的刺激時，我們的感官系統會傳遞訊號到大腦，而大腦會協助我們將所收到的刺激訊號分類編碼，語文有語文的解譯路徑，圖像有圖像的解譯路徑，之後大腦會將語文跟圖像做出相對應的參考連結幫助我們辨識，之後大腦就可以判斷要用語文回應還是圖像回應。（見圖表 22-1）

舉個例子來說，我看到一張福虎生風的新年賀卡，我會透過眼睛同時接收到語文跟圖像刺激，大腦很聰明，會讓語文資訊「福虎生風」走語文解譯路徑、圖像資訊「老虎圖騰」走圖像解譯路徑，之後透過參考連結，把虎的文字特徵與圖像連結在一起，而這樣是有助於增強記憶的效果。因此，這也是為何坊間很多學習課程都會強調文字與圖像的整併。

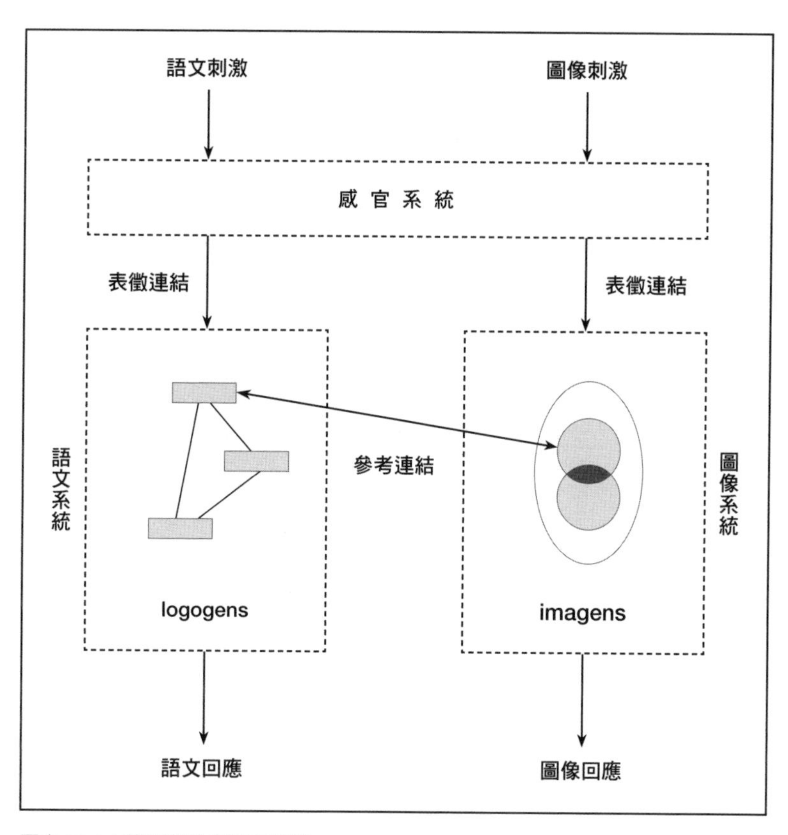


圖表 22-1：雙碼理論的研究架構

資料來源／Paivio（1986）

孩子的學習模式通常先接觸圖像，再接觸文字，因為孩子從睜開眼睛開始認識這世界，基本上就是從具象圖案開始的。在著名發展心理學家尚．皮亞傑的研究理論中，他將兒童的認知發展分成四個階段：

一、感知運動階段（Sensory Motor Stage，〇～二歲）：孩子從外界感官刺激探索外在事物，如抓取、品嚐等，進而獲得知識經驗的過程。像是會逐步發展出物體恆存性的概念、感覺動作發揮其基模的功能。

二、前運算階段（Pre-Operations Stage，二～七歲）：已經能透過學習逐步使用語言及符號，如英文字母、注音符號，但還無法做出合乎邏輯的思考判斷，思考比較片段，不能看見事物的全面性與全局觀。

三、具體運算階段（Concrete Operations Stage，七～十一歲）：能夠用具體事務來幫助思考並解決部分問題。

四、形式運算階段（Formal Operations Stage，十一～十六歲）：可以開始抽象描述與思考，逐步學習並運用科學方法思考並解決問題。

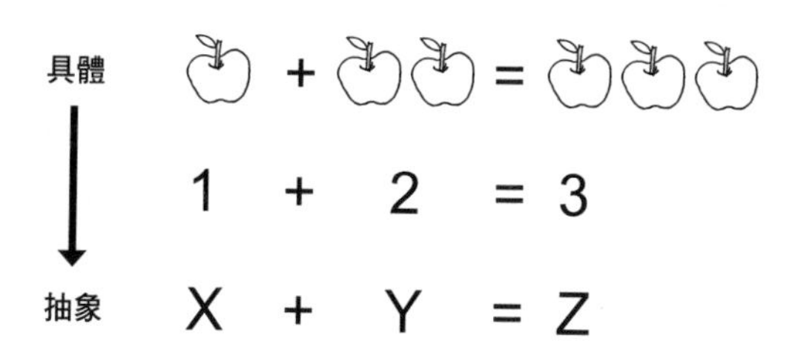


圖表 22-2：不同年齡的學童對於數學概念的理解程度不同，隨著成長慢慢將具象的蘋果轉換為抽象的數字。

依照皮亞傑的認知理論，當孩子成長到十一歲才會開始抽象思考，所以在孩子小時候跟他講太多文字內容，孩子是難以吸收的，例如說要教幼兒園的孩子學習計算，就要用具體圖像來教導。例如學習「1+2=3」時，要畫圖跟孩子說明「一個蘋果加上兩個蘋果等於三個蘋果」。而當進入小學時期，孩子漸漸會轉換一顆蘋果的「一顆」成為數字「1」的概念。所以當說「一顆」蘋果加「兩顆」蘋果等於「三顆」蘋果，孩子就相對能夠轉換變成「1+2=3」，當孩子具有這樣的概念之

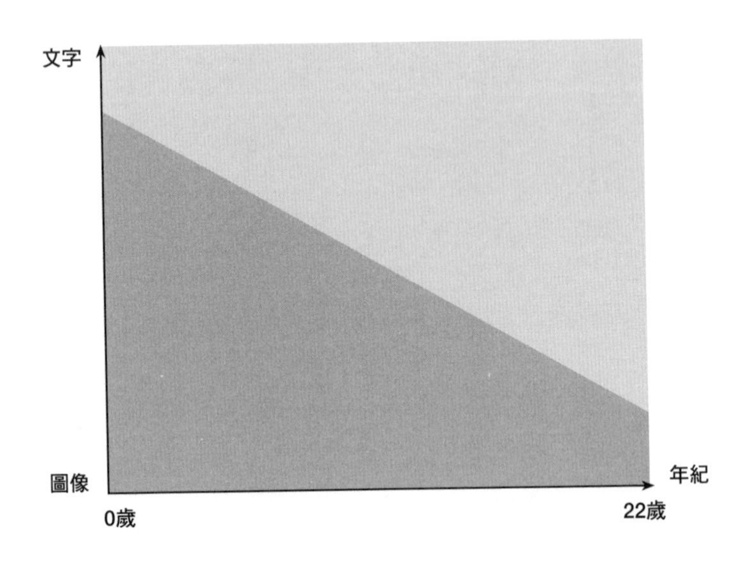


圖表 22-3：文字、圖像接受程度與年齡的相關示意圖。

後，就比較容易學會數字的加法；進入國中開始學習抽象的代數，這也是孩子到國中數學突然變得不好的原因，因為數學科目大量出現抽象符號，像是「X+Y=Z」。（見圖表22-2）

根據經驗，我將文字跟圖像的比重畫了一張示意圖（圖表22-3）。年紀愈小的孩子圖像可以多一些，隨著年齡漸長，可以開始參雜一些文字，之後根據孩子逐漸成長來增加文字的比重，但圖像在雙碼理論中「整體的、並行的、集合的」特點我們還是可以善加利用。因為大腦接受圖像訊息時遠快於文字，因為圖像可以直接對照，而文字還需要轉換，所以如果能把圖像跟文字資訊結合在一起，就會在腦中出現活靈活現的圖像，更加幫助記憶。

舉個例子，如果現在要請你記住沒有關係的十件物品：老虎、春節、餅乾、書包、卡通、直排輪、草莓、寶可夢、籃球、水彩。如果只是把文字硬背記下來，這些內容很難記住，也會非常容易就忘記了。如果可以的話，家長跟老師可以用圖像來協助孩子記憶，之前可以先幫助孩子作好分類，如果沒有順序性要求的話，也可以減輕大腦記憶負擔。

在我的教學經驗中，除了透過圖像可以增加記憶效果外，若能用實物來幫助記憶，會更令人印象深刻，因為經由實際參與最難忘記。因此，若論幫助增加記憶的程度是「實物＞圖像＞文字」，只是大多考試都是紙筆考試，僅剩下圖像跟文字可以選擇。但在現實中，對大部分的孩子而言，比較可行的做法是「文字為主、圖像為輔」。

舉一個例子，還記得十年前，我雙胞胎姪子姪女小禹和甜甜念國一時，有一篇課文叫做〈五柳先生傳〉，當時甜甜隔週要考〈五柳先生傳〉默寫，但是背了兩天一直都會漏寫。

甜甜的媽媽，也就是我大姊問我：「這樣是不是要多花點時間念書呢？」我則回：「如果背了兩天還背不起來，休息一下也挺好的，等等我跟甜甜出門走走，聊聊看她是哪裡背不起來。」大姊欣然同意讓我們出門。

我們決定去看電影，走往捷運站途中，甜甜跟我提到，其實她不太知道怎麼樣才能把整篇背熟，後來我就跟甜甜打賭，「搭捷運過程四十分鐘路途，舅舅就會讓妳背起來，如果沒有背起來，妳請我喝飲料；如果有背起來，我請妳跟小禹看電影跟吃爆米花。」甜甜開心接受了這個挑戰，就開始非常專心背〈五柳先生傳〉，「先生不知何許人也，亦不詳其姓字。宅邊有五柳樹」到此都很順，接著多次一直卡在這裡想不起來，那句「每有會意，便欣然忘食。」

我問說：「妳知道這句話是什麼意思嗎？」甜甜點頭表示知道。

我說：「那妳常常漏掉這句，我想應該是不知道怎麼與自己連結在一起，那就來幫妳加強記憶。妳現在腦袋浮現出什麼動物？」

甜甜：「猴子。」

我說：「猴子，很好喔。那妳背到這裡腦海中就想著猴子的樣子，想著突然發現弟弟是一隻猴子，開心到忘了吃飯，就能聯想到『每有會意，便欣然忘食』了。」這時弟弟在旁邊一直抗議，姐姐笑到東倒西歪。

後來整篇〈五柳先生傳〉非常順利在四十分鐘的車程中背到滾瓜爛熟，週一默寫考試也得到高分，當天我們也擁有很開心的電影跟爆米花時間。看來在傳統的文字記憶中增加圖像記憶，真的可以讓念書變得有趣也加深記憶。

所以當孩子記不起來時，不要只是要求孩子把課本多讀幾次，而是我們能否透過圖像關係的說明，讓孩子能夠了解有看沒有懂的文字。

## 幫助記憶有技巧

除了文字＋圖像的記憶法外，還有一些常用的記憶法，可以依照需求來選用，利用記憶技巧讓孩子更能有效記憶。以下分享我經常使用的方法。

### • 回憶記憶法

當剛學習完內容時，請孩子把課本蓋起來，然後拿起一張空白紙，把剛剛學的內容用回憶的方式寫下來，當想到的都寫完後，就打開課本跟剛剛書寫的內容對照一下，看看自己哪裡有所遺漏或是記錯的地方，這些通常就是自己不熟悉的內容，建議要加強重點注記。

### • 多感官記憶法

很多人寫筆記時，往往只是默默地寫，但我覺得有些關鍵重點的區塊，像是背誦數字或是公式，除了寫下來之外，也可以念出來，念到自己非常熟悉為止，透過自己嘴巴講出來以及耳朵聽到，都能夠加深印象並幫助記憶。

## ●口訣記憶法

我舉一個例子，像我自己之前在做專案管理考試準備與教學時，就想說能否歸納統整一個口訣讓大家容易理解，於是就根據這幾年做專案的心得，用「拆、排、照」三個字來簡單總結專案管理，這三個字分別代表三件工作。

- 拆：拆解工作。
- 排：排序時程。
- 照：照表操課。

我下次只要在摘要區看到「拆、排、照」這三個關鍵字，我就可以瞬間回想起來重點內容，立刻提升複習的效能。

## ・故事聯想記憶法

故事記憶法是我很喜歡的一種記憶法，可以幫助孩子記憶內容，也可以發揮孩子豐沛的想像力。

我舉一個例子，假設這邊有十項毫無相關的關鍵字詞要記憶起來，如：

・巧克力　・比利時　・歐洲　・葡萄酒　・冰淇淋

・飛機　・貓咪　・草莓　・手機　・音樂

看起來即使硬背也很容易忘記，我就用這十個關鍵字詞簡單編了一個小故事：當我回到家看到「巧克力」，發現產地來自於「比利時」，而在「歐洲」地圖上有一瓶「葡萄酒」，我決定拿來做成「冰淇淋」帶到「飛機」上享用，我的「貓咪」想吃我手上的「草莓」，因此踩過我的「手機」把正在播放的「音樂」停止了。利用這樣的故事就很容易可以記住十個字詞。

## ● 諧音記憶法

小時候學習歷史時，總會提到戰國七雄，光要把這七個國家記起來都不容易，但當時老師講了一句很好記的口訣：「透早起來煮番薯，韓趙魏齊楚燕秦」或是「燒灶起火煮香腸，韓趙齊魏楚燕秦」。就算時間已經過了二三十年前，到現在依然令我印象深刻。

**老師的心內話**

之前提到可行的做法是「文字為主、圖像為輔」，為什麼呢？因為有人可能覺得畫圖會浪費時間，更多人可能不擅長畫畫，因此覺得難度很高，當自覺難度高時，就會阻礙我們前進，久而久之就會直接放棄，然後告訴自己，不會是正常的……所以我們以文字為主，讓更多人可以操作。

23

# 固定學習的頻率、步驟，讓短期記憶變長期

大腦中記憶的內容會隨著時間而遺忘，這是一個非常正常的現象。我找了相關文獻來研究，最受人重視的就是「遺忘曲線」，遺忘曲線最早由心理學家赫爾曼·艾賓浩斯提出，是用於表述記憶裡中長期記憶遺忘率的一種曲線。艾賓浩斯在實驗中使用了一些毫無意義的字母組合，通過記憶這些字母組合，並在一系列時間間隔後檢查遺忘率，得到了這一曲線，又叫「艾賓浩斯遺忘曲線」。

〔原子習慣 VS 記憶〕

**持續性的複習跟練習**

每天、每週、每月定期複習，讓學習內容的記憶處於高點。

## 記憶隨時間而遺忘

艾賓浩斯遺忘曲線顯示著大腦中記憶的內容會隨著經歷時間而遺忘，這是一個非常正常的現象。因此，千萬不要怪罪自己怎麼都記不住，因為真的不是你的問題，而是我們大腦就是這樣運作的。如果還無法釋懷的話，可以換個角度思考，如果所有事情都忘不了、歷歷在目，開心喜悅的事情記得住當然很好，若傷心痛苦的事情也記得十分清楚，不是讓

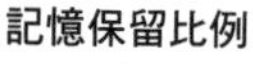


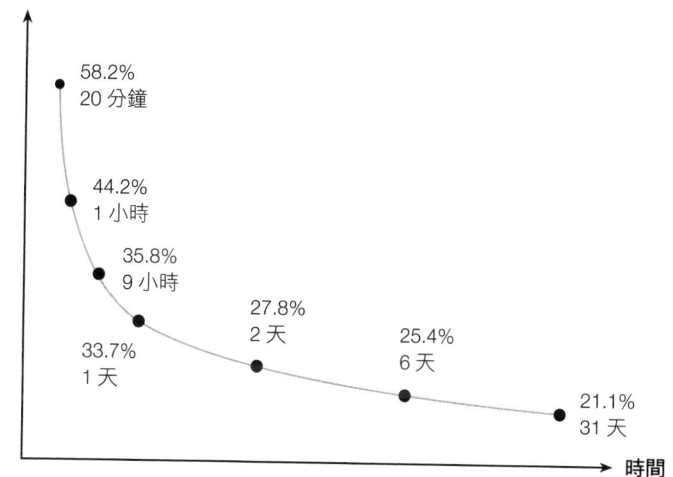


圖表 23-1：艾賓浩斯的實驗結果形成了遺忘曲線。

自己繼續痛苦折磨嗎？所以，「會遺忘是好事」，這也是古代哲人為何會說「時間會弭平一切」的原因。

所以我非常佩服擔任孩子老師的所有先進前輩們，因為孩子若沒有課後複習，很快就會遺忘課程內容，經過一天的時間，僅剩下三三・七%，也就是說，前一天老師絞盡腦汁、聲嘶力竭講的兩小時課，今天學生所剩記憶內容大概只剩下半小時多一點，其他內容都瞬間還給老師了。看見這樣的比例，老師們能不挫折嗎？但老師們依然在挫折中兢兢業業、充滿熱情的繼續教學，這樣的挫折復原力，讓我對老師這職業非常敬佩！

那是不是多複習一些，就能夠讓自己的記憶能力都處於高點呢？沒錯，可以利用艾賓浩斯遺忘曲線的發現，只要我們在定期時間內複習，減少遺忘的比例，就可以把短期記憶變成長期記憶。

請師長這樣做

## 陪伴孩子按部就班，執行讀書五步驟

### 步驟一：前一天課前預習

如果有時間一定要先預習，預習時只要做到「畫重點＋寫筆記」，就會比較輕鬆。因為確實預習就能發現自己知識上相對薄弱的環節，就像水桶漏水，就很難裝滿一樣，若在上課前讓孩子預習並察覺自己的「漏水處」，事先在課本上做記號，到課堂上找答案，以免不懂的內容未搞懂，成為未來的絆腳石。而且剛接觸時多半對學習素材陌生，若孩子透過預習就可以事先熟悉素材，之後上課更能專心聆聽，而且效能更高。所以，請孩子把不理解的內容做記號，上課時請教老師，家長能夠帶領孩子做這塊，就是非常棒的示範，讓孩子透過實踐知道預習的重要性。

### 步驟二：上課時要專心

現在孩子專注力普遍不佳，因環境中有太多聲光刺激與誘惑影響學習，對於家長、老師、學生都是很大的考驗。孩子若有做好預習，會帶著問題跟疑惑進到課堂，為了想趕緊解決疑惑，通常會更加專心聆聽課程，也會順帶使孩子的專注力提升。為什麼呢？因為孩子發現很多都聽得懂，只有少部分聽不懂，如果可以把這些聽不懂的都變成自己聽得懂的內容，考試考高分基本上都沒有懸念。當課業顧好，家長通常也會給孩子更多的自由度，讓孩子有更多的發揮空間，這對孩子來說有絕對的吸引力！

**步驟三：當天晚上要回顧**

依照目前小學的課程規劃，通常老師都會根據當天教授的內容給予孩子回家作業，重點是為了讓孩子熟悉內容，通常孩子可能會在安親班或學校把作業完成，這時家長不要只檢查作業有沒有完成，可以多看一下孩子學習的內容，問問看孩子還記得些什麼？有時候孩子可能不想回答，因為學習一天之後，回到家還要被爸媽「拷問」。但我覺得只要把握住一個重要的原則：聽孩子說之後，不要責備與建議，而是引導孩子去看到自己哪裡不懂就好。

不妨給孩子一張白紙，讓孩子用幾分鐘的時間來回想今天在學校所學的內容，然後把知道的關鍵字、與理解的重點全部寫下來，然後家長可以帶領孩子將重點跟課本對照，看看是否有哪裡遺漏，這樣就可以快速複習完。

### 步驟四：當週週末要複習

假日部分依然安排學習，但分量可以少一點，重點是幫助孩子維持記憶。雖然乍看之下整週的內容很多，好像複習不完。但因為平常已經念了三至四次，基本概念跟內容都已經理解，需要花費的複習時間並沒想像中多。至少讓孩子把這週的內容複習完畢，如果都能夠順利口述，基本上內容應該都會了，就可以算複習完畢。如果都持續這樣做的話，每週小考應該已經都複習完畢了。

### 步驟五：每月重新複習

通常小學一個月會有一次比較大的考試，趁此機會將近一個月的所有內容重新複習一次，這步驟對於孩子很關鍵，剛好配合三次考試頻率，複習時也可以依照考試的順序來安排先後，這樣更容易讓孩子進入讀書情況。

如果沒有複習的話，很大一部分學習內容將會被遺忘，但從遺忘曲線後續研究的圖表（圖表 23-2）中發現：複習可以讓記憶保留比例大幅度增加，所以請告訴孩子「鍛鍊基本功靠的都是持續性的複習跟練習」，不可一日懈怠呀！

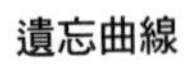


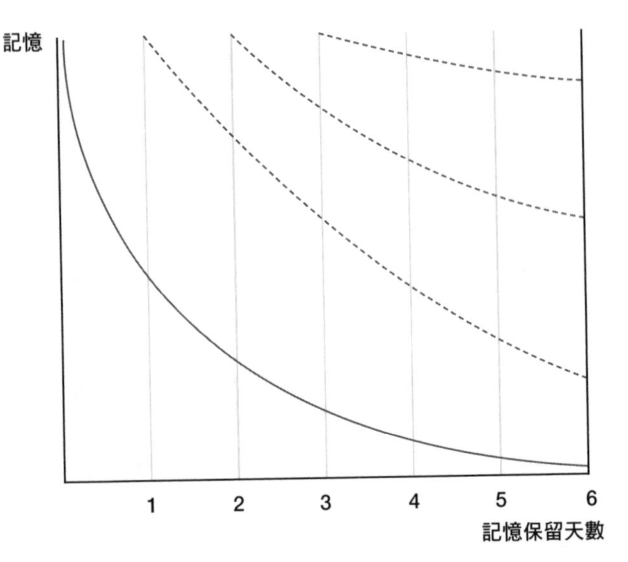


圖表 23-2：虛線是複習後的曲線，可發現複習越多次，記憶保留越多也越久，短期記憶就能變成長期記憶。

老師的心內話

很多孩子以為預習只是快速翻閱課本就好，這樣當然效果不彰，家長不妨設定檢查與獎勵機制，像是問孩子「剛剛唸了些什麼呢？」如果能夠回答出來，就可以多看十分鐘電視。有獎勵當誘因時，孩子也會相對願意做，但獎勵不是因為孩子預習做好，而是優先考量讓孩子能養成預習的習慣，抱持著「先求有，再求好」的態度，陪伴孩子改變，再找機會調整。

# 如何與孩子一起設計與執行有效的讀書計畫？

看到家長在考試前擔心孩子無法順利過關，然後轉頭看到孩子吃飯時也不專心，心裡想著「做什麼事都不專心怎麼會考得好」，接著開始嘮叨催促孩子趕緊吃飯，吃完趕緊去複習，然後帶著情緒盯著孩子念書，一起抱佛腳，最後雙方都很痛苦。

事實上，學習應該視為孩子自己的事情，家長用錯了介入的方法，只會讓孩子更不想讀書。家長該思考的不是緊迫盯人，而是引導孩子養成主動的學習習慣，貫徹「課前預習、上課專心、課後複習」，因為最好的複習不是在考試前，而是在日常。

所以重點是要有一個可以將「課前預習、上課專心、課後複習」這幾個面向都整合在一起的讀書計畫，這樣就只要一套學習方式就可以應付日常學習與考試。所以說，如果我們能夠讓孩子參與讀書計畫的設計，並且讓孩子覺得這是自己的承諾與責任，基本上已經成功了。

就我的觀察，做讀書計畫一直是許多孩子的痛點，大多數的家長也只是要求跟上學校作業進度就好，並只監督當天需要完成的作業，預習跟複習很少被確實進行。那要怎麼做才好呢？

我將我們家製作讀書計畫的過程，整理如以下步驟，提供給各位家長參考，大家可以依照這個架構，並利用附贈手冊中的表單，與孩子一起完成一份日常的讀書計畫。

## ● 步驟一：準備學校課表，確認科目

在學期第一週時，就跟孩子聊聊這學期要學習的科目有哪些，可以將需要學習的科目分出來，像是分成國、數、社、自、英。

## ● 步驟二：製作計畫表

依照孩子的課表，做成一張表格，橫軸是日期與星期，縱軸是所有的科目，然後把該天需要「課前預習、課後複習」的科目都填到當天那一欄中。但是先不壓範圍，因為範圍還不確定，可以先把科目寫下來。由於學校課表多為一學期或一年才會改變，因此步驟二規劃好的表格可以長期適用。（見表一）

| 科目/星期 | 一 | 二 | 三 | 四 | 五 |
|---|---|---|---|---|---|
| 第一節課 | 數學 | 數學 | 數學 | 自然 | 數學 |
| 第二節課 | 自然 | 國語 | 國語 | 自然 | 資訊 |
| 第三節課 | 英語 | 英語 | 美勞 | 數學 | 社會 |
| 第四節課 | 英語 | 健康 | 美勞 | 國語 | 國語 |
| 午休 | | | | | |
| 第五節課 | 國語 | 音樂 | | 社會 | 國語 |
| 第六節課 | 國語 | 綜合 | | 社會 | 綜合 |
| 第七節課 | 閩南語 | 體育 | | 體育 | 綜合 |

| 日期 | ( / ) | ( / ) | ( / ) | ( / ) | ( / ) | ( / ) | ( / ) |
|---|---|---|---|---|---|---|---|
| 科目/星期 | 日 | 一 | 二 | 三 | 四 | 五 | 六 |
| 國語 | 國語 | 國語 | 國語 | 國語 | 國語 | 國語 | 國語 |
| 數學 | 數學 | 數學 | 數學 | 數學 | 數學 | 數學 | 數學 |
| 英語 | 英語 | 英語 | 英語 | | | | 英語 |
| 自然 | 自然 | 自然 | | 自然 | 自然 | | 自然 |
| 社會 | | | | | 社會 | 社會 | 社會 |
| 閩南語 | | 閩南語 | | | | | |
| 健康 | | | 健康 | | | | |
| 音樂 | | | 音樂 | | | | |
| 體育 | | | 體育 | | | | |
| 資訊 | | | | | | 資訊 | |
| 美勞 | | | | 美勞 | | | |
| 綜合 | | | 綜合 | | | | |

表一：將學校課表（上），轉化成每日學習計畫科目表（下），下表包括週末假日。

## • 步驟三：填寫進度

依照學校進度把需要讀的範圍寫上去。（見表二）

## • 步驟四：確認可行性

讓孩子自己將課表過目一次，確認上面每天要做的事，看看孩子是否覺得有哪裡需要調整。

有些孩子看到每天有這麼多書要念就覺得頭昏腦脹了，但其實如果每天確實念，就會知道實際上分量並沒有這麼多，這只是看起來數量種類多，所以家長可提醒孩子不要自己嚇自己。

其實，若把我們在公司每天要做的事情都列出來，真的也是很多，但重點不是只感慨事情很多，因為這樣對事情推進沒有意義，只有開始行動把事情一件一件完成，才能夠把事情從待辦清單中畫掉，不是嗎？

所以，我跟孩子討論「待辦清單」的概念，因為這方法絕對不是只有職場

| 日期 | ( / ) | ( / ) | ( / ) | ( / ) | ( / ) | ( / ) | ( / ) |
|---|---|---|---|---|---|---|---|
| 科目/星期 | 日 | 一 | 二 | 三 | 四 | 五 | 六 |
| 國語 | 預習<br>國語1-1 | 複習<br>國語1-1<br>預習<br>國語1-2 | 複習<br>國語1-2<br>預習<br>國語1-3 | 複習<br>國語1-3<br>預習<br>國語1-4 | 複習<br>國語1-4<br>預習<br>國語1-5 | 複習<br>國語1-5 | 複習<br>國語1-1<br>國語1-2<br>國語1-3<br>國語1-4<br>國語1-5 |
| 數學 | 預習<br>數學1-1 | 複習<br>數學1-1<br>預習<br>數學1-2 | 複習<br>數學1-2<br>預習<br>數學1-3 | 複習<br>數學1-3<br>預習<br>數學1-4 | 複習<br>數學1-4<br>預習<br>數學1-5 | 複習<br>數學1-5 | 複習<br>數學1-1<br>數學1-2<br>數學1-3<br>數學1-4<br>數學1-5 |
| 英語 | 預習<br>英語1-1 | 複習<br>英語1-1<br>預習<br>英語1-2 | 複習<br>英語1-2 | | | | 複習<br>英語1-1<br>英語1-2 |
| 自然 | 預習<br>自然1-1 | 複習<br>自然1-1 | | 預習<br>自然1-2 | 複習<br>自然1-2 | | 複習<br>自然1-1<br>自然1-2 |
| 社會 | | | | | 預習<br>社會1-1 | 複習<br>社會1-1 | 複習<br>社會1-1 |
| 閩南語 | 閩南語 | 閩南語 | | | | | 閩南語 |
| 健康 | | 健康 | 健康 | | | | 健康 |
| 音樂 | | 音樂 | 音樂 | | | | 音樂 |
| 體育 | | 體育 | 體育 | | | | 體育 |
| 資訊 | | | | | 資訊 | 資訊 | 資訊 |
| 美勞 | | | 美勞 | 美勞 | | | 美勞 |
| 綜合 | | 綜合 | 綜合 | | | | 綜合 |

表二：將學校的進度，加入表中。

人士才可以運用，透過待辦清單可以讓孩子了解時間是資源，並認識管理的重要性，孩子在家長引導下，應該能學會使用待辦清單來執行讀書計畫，進而讓孩子自己來管理自己的功課。

### • 步驟五：學習使用與試行

其實，我覺得孩子有自己的想法是比較好的，在規劃的過程中，要讓孩子覺得這個讀書計畫是他自己的事情，父母只是從旁協助他完善而已，從小灌輸「自己的事情要自己負責」的認知給孩子。

像我與孩子規劃完由待辦清單組合而成的讀書計畫後，他覺得週六項目好多，因為這樣鉅細靡遺的清單，乍看很詳細，面面俱到，但也代表其中參雜相對不重要的項目，常會分散注意力。因為我要求孩子完成一個項目之後打勾，但如果項目太多，孩子的體力跟專注力下滑時，又看到不少項目還沒有被打勾，就會覺得好像自己很失敗，然後陷入情緒低潮中，這也不是我們所樂見的。

此時，我就會跟孩子討論哪些項目相對重要、相對不重要，如何在有限時間中做出取捨，然後完成最終的讀書計畫。

當孩子已經做完讀書計畫要執行時，請務必要**提醒孩子要遵守「先複習，後預習」的原則**，這是為什麼呢？讓我來跟您說明，因為現在很多篇章內容其實都有連貫性，先念新的內容會覺得看不懂，而看不懂往往是因為舊的章節基礎不穩固所致，這樣反而會讓孩子花費更多時間讀書，而且因為很多部分都看不懂，會讓孩子有覺得自己很笨的錯覺，長期下來對孩子並非好事。

因此，我會特別鼓勵「先複習，後預習」，因為老師教過的內容已經將疑惑都解決得差不多了，因此複習速度就會非常快，如果複習速度很快，就可以把上面讀書計畫的複習待辦事項轉變成已完成清單，內心也會覺得完成一項任務。小成功累積對自信心的建立有很大的幫助，會讓孩子覺得自己擁有掌控權，而且可以建構孩子長期累積的思維，透過每天的小進展，長久下來就會看到很大的進步。

## ● 步驟六：確實督促孩子照表操課

很多孩子都會寫讀書計畫，但是往往寫完就覺得很累，進而將讀書計畫就束之高閣，但讀書計畫不是為了形式而已，這是務虛的做法。讀書計畫要能夠依照計畫進行才有意義，才是務實的做法。

做好計畫後，讓孩子自己為完成率負責。當然，並不是要孩子即使疲倦不堪還是要完成才能休息，而是至少有八、九成能夠跟上進度，這樣就很棒了。

## ● 步驟七：定期回顧讀書計畫完成率

當孩子進行讀書計畫一段時間之後，記得陪伴孩子回顧讀書計畫的執行完成率，重點不是要檢討孩子做不好的地方，而是要讓孩子了解自己怎麼做可以更好，以幫助孩子精進。像我就會用「覆盤」的概念，「覆盤」是圍棋術語，兩位棋手在對弈結束後，雙方或其他棋手會再將其對弈過程，依照落子順序重新走過一遍，揣摩棋手當時思維，進而精進優化自我棋藝的方式。

所以我會帶領孩子思考以下幾個問題：

- 我這段時間做得好的有哪些事情？為什麼？
- 我這段時間覺得吃力的有哪些事情？為什麼？
- 我這段時間可以改進的有哪些事情？為什麼？
- 我接下來的行動計畫是？為什麼？

如果孩子都能夠順利了解自己的狀態，並有效改進，相信孩子絕對會逐步建立良好的學習習慣，之後我們要做的就是耐心等待。等待孩子的持續努力，進而厚積薄發！

在有效率執行讀書計畫後，若有多餘時間，就可以鼓勵孩子去培養自己的興趣，像是看課外書、畫畫、運動等。

鼓勵學習，但不要為了分數學習，人生活得只剩下分數是很可悲的，重要的是如何從每次學習當中，認識更加進步的自己，了解自己的程度，不好高騖遠地逐步努力往前，這樣的習慣養成後，對孩子未來有很大的助益。

學習與教育 231

# 小學生高效學習原子習慣

## 拆解8大策略×23個實作心法，引導孩子學習如何學

作者／趙胤丞
責任編輯／蔡川惠
編輯協力／葛晶瑩
校對／魏秋綢
封面設計／ Rabbits design
內頁設計及排版／連紫吟・曹任華
行銷企劃／陳筱婷

小學生高效學習原子習慣 / 趙胤丞作 . -- 第一版 . --
臺北市 : 親子天下股份有限公司 , 2022.03
288 面 ; 14.8×21 公分 . --（學習與教育 ; 231）
ISBN　978-626-305-182-9（平裝）

1.CST: 學習方法 2.CST: 讀書法

521.1　　111001843

天下雜誌群創辦人／殷允芃
董事長兼執行長／何琦瑜
媒體暨產品事業群
總經理／游玉雪
副總經理／林彥傑
總監／李佩芬
行銷總監／林育菁
版權主任／何晨瑋、黃微真

出版者／親子天下股份有限公司
地址／台北市 104 建國北路一段 96 號 4 樓
電話／（02）2509-2800　傳真／（02）2509-2462
網址／ www.parenting.com.tw
讀者服務專線／（02）2662-0332　週一～週五：09:00~17:30
讀者服務傳真／（02）2662-6048
客服信箱／ parenting@cw.com.tw
法律顧問／台英國際商務法律事務所・羅明通律師
製版印刷／中原造像股份有限公司
總經銷／大和圖書有限公司　電話：（02）8990-2588

出版日期／ 2022 年 3 月第一版第一次印行
　　　　　2024 年 2 月第一版第七次印行
定　價／ 420 元
書　號／ BKEE0231P
ISBN ／ 978-626-305-182-9（平裝）